"Se parece um livro de Natal e se soa como um livro de Natal, então certamente deve ser um livro de Natal! *O Salvador chegou!* é ainda mais do que isso, pois nos mostra como a história do Natal explica os propósitos de Deus desde o início dos tempos até o fim da história. E não seria um livro de Alistair Begg se não nos mostrasse também como essa história fornece respostas para as necessidades mais profundas de nossos corações. Ler estas páginas certamente ajudará todos nós a termos um Natal melhor. Mas eu não ficaria surpreso se este livro ajudasse alguns leitores a terem o melhor Natal de suas vidas."

SINCLAIR FERGUSON, professor associado do Ministério Ligonier; autor de *Nome acima de todo nome* e *À mesa com Jesus*, ambos publicados pela Editora Fiel.

"Neste livro perfeito para leitura diária durante o período do Advento, Alistair Begg apresenta a história envolvente da necessidade, da vinda e da beleza de Jesus que vai do Gênesis ao Apocalipse."

NANCY GUTHRIE, professora de Bíblia; autora de *As bênçãos de Apocalipse* e *Ainda melhor que o Éden*, ambos publicados pela Editora Fiel.

"Não há companheiro melhor ou mais fiel do que Alistair Begg para preparar seu coração para o Natal e emocioná-lo novamente com a maravilhosa história da encarnação. Este devocional está repleto de insights bíblicos e revigorantes que irão realçar e enriquecer o seu tempo de Natal."

KEITH AND KRISTYN GETTY, compositores de hinos; autores de *Cante!*, publicado pela Editora Fiel.

O SALVADOR CHEGOU!

Dados Internacionais de Catalogação na Publicação (CIP)
(Câmara Brasileira do Livro, SP, Brasil)

Begg, Alistair
O salvador chegou! / Alistair Begg ; tradução João Costa. -- São José dos Campos, SP : Editora Fiel, 2025.

Título original: Let earth receive her king
ISBN 978-65-5723-424-2

1. Bíblia 2. Cristianismo 3. Meditação - Cristianismo 4. Religião I. Título.

25-287940 CDD-220.6

Elaborado po Livia Dias Vaz - CRB-8/9638

O Salvador Chegou!

Traduzido do original em inglês
Let Earth Receive Her King

•

Originalmente publicado em inglês por The Good Book Company
Wheaton, Illinois 60187, USA

O Salvador chegou! © Truth for Life, 2025, em parceria com Editora Fiel. Truth for Life é o ministério de ensino de Alistair Begg. www.truthforlife.org

Primeira edição em português: 2025

Os textos das referências bíblicas foram extraídos da versão Almeida Revista e Atualizada, 2ª ed. (Sociedade Bíblica do Brasil), salvo indicação específica.

•

Diretor Executivo: Tiago J. Santos Filho
Editor-chefe: Vinicius Musselman Pimentel
Editor: Vinicius Lima
Coordenação Gráfica: Michelle Almeida
Tradução: João Costa
Revisão: Vinicius Lima
Revisão de Provas: Zípora D. V. de Lima
Diagramação: Caio Duarte
Adaptação de capa: Caio Duarte

ISBN brochura: 978-65-5723-424-2
ISBN e-book: 978-65-5723-423-5
ISBN audiobook: 978-65-5723-422-8

Editora Fiel
Caixa Postal, 1601
CEP 12230-971
São José dos Campos-SP
PABX.: (12) 3919-9999
www.editorafiel.com.br

SUMÁRIO

PARTE 4: O NATAL NAS EPÍSTOLAS

PARTE 5: AGUARDANDO UM NOVO ADVENTO

Cantai que o Salvador chegou!
Acolha a Terra o rei.
Ó vós nações, a ele só,
Contentes vos rendei,
Contentes vos rendei,
Oh, sim, contentes vos rendei!

Ao mundo as novas proclamai,
que já raiou a luz.
Oh terra, mar e céus cantai:
Nasceu o Rei Jesus,
Nasceu o rei Jesus,
Nasceu, nasceu o Rei Jesus.

(Isaac Watts, 1719)

Traduzido por Justus Henry Nelson
(1849-1931) – HCC 106

INTRODUÇÃO

Eu amo o período do Advento. Eu gosto muito do sentimento de antecipação e da maneira como ele me leva de volta aos natais da minha infância — às cantatas, à igreja, aos presentes.

Eu amo os preparativos também. Alguns de nós são daqueles que começam a se preparar para o Natal em setembro. Eu não sou um desses. Eu sou mais um dos que começam os preparativos em dezembro. Como pastor, ainda me encontro todo mês de dezembro escrevendo meus sermões do Advento — com uma certa inveja dos que fazem isso meses antes. Minha abordagem na compra dos presentes é semelhante. Felizmente, minha esposa é uma pessoa muito mais organizada, caso contrário, as coisas seriam um caos.

É fácil olhar para o primeiro Natal como se Deus fosse um dos que começam os preparativos em dezembro — como se a história começasse na primeira página do Novo Testamento, com um anjo aparecendo de repente para uma garota na Galileia. Mas a Bíblia é uma peça de dois atos, de modo que começar pelos Evangelhos é começar a assistir no intervalo. Não, os preparativos de Deus para o momento em que esta terra receberia seu Rei começaram onde o Evangelho de João começa: não com anjos, pastores e sábios, mas "no princípio" — na verdade, desde antes do princípio. Desde a eternidade passada, Deus planejou enviar seu Filho para que pudéssemos ter vida com ele por toda a eternidade.

E assim, nestas páginas, começaremos do início e seguiremos os preparativos de Deus para o evento inspirador daquela primeira noite de Natal. Acompanharemos seus planos e propósitos através do Antigo Testamento, antes de refletirmos mais uma vez sobre os eventos que cercam a vinda do Verbo que se fez carne.

Mas não vamos parar por aí. O termo advento vem da palavra latina *adventus*, que significa "vinda". E devemos ter duas "vindas" em vista — a chegada de Cristo no passado e seu retorno no futuro. O Rei da criação caminhou sobre esta terra, na história. E esta terra receberá seu Rei mais uma vez, desta vez chegando não como um bebê não anunciado, mas vindo de forma gloriosa e inequívoca, nas nuvens do céu. É claro que as crianças passam o Advento ansiosas pelo dia de Natal. Somos convidados a olhar além disso, vislumbrando um dia muito maior — o dia em que Jesus vai voltar. Portanto, nosso tempo juntos começará com Gênesis 1 e, na véspera de Natal, teremos chegado ao outro lado das Escrituras e ao capítulo final de Apocalipse.

Neste Advento, então, convido você a se juntar a mim para olhar para trás, para a primeira vinda do Senhor — para como o maravilhoso presente foi dado e como esse presente é alegria para o mundo e para os nossos corações hoje. E convido você a se juntar a mim na expectativa de sua segunda vinda — para o que Deus ainda está preparando para entregar no futuro, e o que isso também significa para nós hoje.

Minha oração é que este devocional do Advento faça com que você se pergunte sobre tudo o que Deus fez, adorando aquele que estava deitado na manjedoura naquela primeira noite de Natal; e que ele cultive em você um grande sentimento de antecipação pela vinda de Cristo, o levando a esperar com alegria pelo dia em que a terra volte a acolher o seu Rei. Minha oração é que neste tempo do Advento cresçamos em nosso amor por Jesus.

PARTE I

O NATAL NO PRINCÍPIO

1. A PALAVRA NO PRINCÍPIO

No princípio, criou Deus os céus e a terra.
(GÊNESIS 1.1)

Quando pensamos em Jesus, é inevitável que certas imagens venham à mente — especialmente durante a época do Natal. Parece que já passamos da época em que a maioria das representações ocidentais dele apresentava um Jesus de cabelos loiros, com arrebatadores olhos azuis, segurando um cordeirinho nas mãos enquanto passeava por uma terra feliz onde fluem rios pacíficos. Mas, embora possamos ter abandonado a ideia de um Jesus de olhos azuis e cabelos loiros, ainda pode ser que a maioria de nossas imagens mentais deva mais à liberdade artística do que à teologia bíblica.

É impressionante que nenhum dos escritores do Novo Testamento — nem o próprio Deus, que inspirou as palavras dos escritores — achou importante descrever a aparência de Jesus. Tudo o que sabemos é que ele "não tinha aparência nem formosura;

olhamo-lo, mas nenhuma beleza havia que nos agradasse" (Isaías 53.2). Por que essa descrição está ausente de maneira tão notável? Bem, talvez uma das principais razões seja que todo retrato humano de Jesus perde o que o Pai deseja que saibamos sobre seu Filho. Mesmo as maiores pinturas e produções cinematográficas não nos permitirão conceber Jesus da maneira impressionante como ele é apresentado a nós no Evangelho de João, onde somos convidados a não nos perguntar sobre como ele poderia ter sido, mas a nos maravilhar com sua eternidade, personalidade e divindade: "No princípio era o Verbo, e o Verbo estava com Deus, e o Verbo era Deus. Ele estava no princípio com Deus. Todas as coisas foram feitas por intermédio dele, e, sem ele, nada do que foi feito se fez." (João 1.1-3)

Não importa o quão longe consideremos o início dos tempos e não importa o modelo que possamos ter em nossas mentes de como o tempo começou, lá encontraremos o Filho de Deus pré-encarnado já existente. "No princípio", já havia Deus — e já havia Deus Filho, o "Verbo". João conecta os pontos a Gênesis 1 para nós. Este Jesus não foi criado, pois ele é o próprio criador do universo. A criança na manjedoura era a mesma pessoa que colocou as estrelas no céu — incluindo a própria estrela que levou os magos do Oriente a vir e adorá-lo.

Em sua eternidade, esta Palavra, Jesus, é distinta do Pai e do Espírito, não em essência, mas em pessoa. Ele "estava com Deus", mas "era Deus". Ambas as afirmações são verdadeiras. Embora possa parecer intrigante, João não estava escrevendo em abstrações. Ele estava apresentando uma pessoa com quem riu, chorou, ceou, orou, serviu, viajou e muito mais — contudo, uma pessoa que também estava presente na criação do mundo, como o Criador do mundo.

Isso está um pouco obscurecido em nossas traduções, mas o uso dos tempos verbais por João é magistral. Ele usa o tempo imperfeito (indicando uma ação contínua) ao descrever a localização preexistente do Filho: Ele "estava com Deus e... era Deus". Mas então ele muda para o tempo aoristo (indicando um momento decisivo no tempo) quando diz: "E o Verbo se fez carne." (João 1.14)

Houve um momento, há mais de dois mil anos, quando a segunda pessoa da Trindade, Jesus, que existia antes do início dos tempos, foi entregue a este mundo como bilhões de outros bebês. Isso é o que chamamos de primeiro Advento de Cristo e o que milhões celebram a cada Natal. Houve um momento em que ele obedientemente abriu mão de sua vida para suportar a penalidade de nossos pecados. Houve um momento em que seu corpo morto voltou à vida. Houve um momento em que seu corpo ressuscitado ascendeu ao céu. E haverá um momento em que esse mesmo Jesus voltará para fazer novas todas as coisas.

Sendo assim, a divindade de Cristo não tem ponto de partida no tempo. Ele sempre foi. Ele era Deus antes do início dos tempos. Ele é Deus neste exato momento. E ele continuará a ser Deus para sempre.

Para ser honesto, acho fácil cair na armadilha de passar cada época do Advento tão ocupado com os preparativos ao ponto de não me debruçar sobre a verdade de que o Criador se tornou um homem e viveu neste mundo. Talvez você enfrente isso também. Há uma maneira melhor — não apenas durante o mês de dezembro, mas todos os dias: "Somos chamados a adorá-lo sem cessar, obedecê-lo sem hesitação, amá-lo sem reservas e servi-lo sem interrupção."[1] Na medida

1 Bruce Milne, *The Message of John: Here Is Your King! The Bible Speaks Today* (Lisle, Illinois: InterVarsity Press Academic, 1993), p. 36.

em que garantirmos que paramos para olhar com os olhos da fé para o Verbo que se fez carne, nos sentiremos movidos a adorar, obedecer, amar e servir ao Senhor.

O Natal ganha vida quando reservamos tempo para pensar no Senhor Jesus. Lembre-se, sua aparência física não importava nem um pouco — mas, ao mesmo tempo, aproveite o fato de que ele apareceu fisicamente, naquele primeiro Natal, para ser nossa grande esperança na vida e na morte.

Para reflexão:

Como as verdades sobre a divindade e a humanidade de Jesus o levam a adorá-lo agora?

Antes que estendessem os céus azuis,
Desde a eternidade era a Palavra, Jesus;
Com Deus ele estava, o Verbo era Deus,
E deve ser divinamente adorado pelos seus.

Por seu próprio poder todas as coisas foram feitas;
Por ele são sustentadas de maneira perfeita;
Ele é a cabeça de toda a criação,
e sob seu comando os anjos voam.

Eis que ele deixa essas formas celestiais;
O Verbo desce e habita em barro,
Para que possa estar entre reles mortais,
Tão fraco quanto eles, se fez encarnado.

Os homens com alegria contemplaram a ti,
O Filho unigênito do Pai eterno, Deus:
Quão cheio de graça, quão cheio de verdade,
O brilho da Divindade resplandeceu!

Os anjos deixam sua alta morada,
Para contar a verdade que foi revelada.
O amor do nosso Deus desceu do céu,
As glórias de Emanuel.

"A divindade e a humanidade de Cristo"
Isaac Watts

2. A PRIMEIRA PROMESSA

Porei inimizade entre ti e a mulher, entre a tua descendência e o seu descendente. Este te ferirá a cabeça, e tu lhe ferirás o calcanhar.
(GÊNESIS 3.15)

Tenho certeza de que você já ouviu e viu anúncios sobre a celebração do Natal com muitos meses de antecedência; em julho, por exemplo. Mas você já pensou em descobrir o Natal em Gênesis? Nos próximos dias, enquanto antecipamos o Natal, vamos fazer exatamente isso.

Gênesis 3.15 nos fornece o que muitas vezes é chamado de *protoevangelho* — o primeiro Evangelho. Eram necessárias boas-novas porque a ordem de Deus de não comer "da árvore do conhecimento do bem e do mal" foi desobedecida, e a punição prometida por tal desobediência era a morte. A serpente tentara a mulher a desconfiar de Deus — a duvidar das palavras que ele falara e a questionar a bondade de sua criação.

Em pouco tempo, ao que parece, a árvore da qual Deus havia expressamente proibido comer do fruto tornou-se "agradável aos olhos" da mulher. Tragicamente, ela então "tomou-lhe do fruto e comeu e deu também ao marido, e ele comeu". E assim Eva ouviu a serpente, Adão ouviu Eva e ninguém ouviu a Deus. (Gênesis 2.17; 3.1-6)

Reflita no ardil do maligno no jardim no que se refere à sua própria vida. Você pode ouvir sobre certas questões cotidianas que entram em conflito com os mandamentos claros de Deus sobre as Escrituras e ouvir um sussurro (em sentido figurado) perguntando: *Ok, por que seria necessário obedecer a uma proibição tão arbitrária e irracional?* A mentira do diabo é sempre a mesma: eu *posso lhe fazer capaz de experimentar uma vida melhor, além dos limites do plano de Deus e me certificarei de que você não terá que lidar com as consequências.* Mas a verdade é que ele não pode e não o faz.

O que é impressionante sobre o relato das consequências da grande rebelião dos primeiros humanos contra Deus não é que a morte e o banimento do jardim se seguem, mas o fato de que eles não se dão imediatamente. Sim, essas consequências e muito mais viriam no devido tempo, mas primeiro veio uma promessa divina. Isso nos lembra de uma verdade maravilhosa sobre nosso Deus: a graça imerecida flui dele, mesmo diante da rebelião humana. Essa incrível promessa de Deus era que uma semente — uma descendência — da mulher viria para lidar com essa serpente — esse grande usurpador que estava em conflito com os próprios propósitos de Deus. A partir deste ponto do Gênesis ao longo da história, há uma guerra entre o maligno e a humanidade, o auge da criação de Deus.

O maligno foi avisado, assim que a humanidade foi expulsa do jardim, que um dia nasceria uma criança do sexo masculino que desfaria seus planos malignos. A partir deste ponto, todo nascimento de um menino deveria ter suscitado a pergunta: "Será este aquele que Deus prometeu?" A agenda do diabo era garantir que a humanidade nunca chegasse ao "descendente" do versículo 15. A partir daí é Golias contra Davi, os babilônicos contra Jerusalém, Nabucodonosor contra Daniel e muitos outros exemplos em todo o Antigo Testamento.

Não é exagero dizer que Satanás estava tentando com todas as suas forças impedir o Natal por milhares de anos — pois o que o povo de Deus marca como um dia de celebração foi certamente, na época, o pior momento da existência do diabo. Quem mais poderia estar por trás do projeto de Herodes, que consistia em destruir todas as crianças do sexo masculino com menos de dois anos de idade? Ele estava procurando destruir o que Deus havia planejado. Essa inimizade entre a serpente e aquele que Deus prometeu que iria ferir a cabeça da própria serpente é o grande conflito da história humana; é o enredo subjacente de toda a Bíblia.

Ao contrário do diabo, porém, podemos dizer a Deus: "Bem sei que tudo podes, e nenhum dos teus planos pode ser frustrado" (Jó 42.2). Antes que o relacionamento do homem com Deus fosse estragado como resultado da rebelião, e antes de Adão e Eva serem criados, Deus já havia planejado o resgate. Embora a Bíblia não dê uma resposta direta sobre por que Deus permitiu que a Queda acontecesse, ela prova isso: Deus está no controle de todas as coisas. Isso é motivo de comemoração se você deseja viver sob o governo de alguém que fará com que todas as coisas erradas sejam endireitadas.

Porque Deus está no controle, nada poderia impedir o nascimento daquele que esmagaria a cabeça da serpente, o prometido Jesus de Nazaré. Porque Deus está no controle, nada poderia impedir a vida perfeita que ele viveu. Porque Deus está no controle, nada poderia impedir seu triunfo na cruz, quando ele feriu a cabeça da serpente. E porque Deus está no controle, nada pode impedir a era vindoura, quando a serpente for totalmente derrotada e a grande consumação de Deus estiver completa.

O bebê na manjedoura no Natal é o "descendente" de Gênesis 3.15. Podemos descansar na realidade de que Jesus estava, está e sempre estará no controle. Podemos lembrar que um dia ele reunirá todos os que são seus e nos conduzirá a um novo Éden. Podemos nos alegrar aguardando o dia em que ele dará a cada um dos seus o privilégio de desfrutar da vida eterna sem pecado, sem tristeza, sem doença, sem amargura, sem divisões familiares, sem disputas políticas — apenas beleza sem fim ao desfrutarmos de perfeita comunhão com nosso Criador.

Para reflexão:

Em que área da vida você precisa da segurança e do conforto de saber que Jesus está e sempre estará no controle?

Que diferença faria para sua visão do futuro lembrar que um dia Jesus fará com que tudo de errado seja endireitado?

Criador das estrelas da noite
A luz eterna de Seu povo,
Ó Cristo, Redentor de todos nós,
Te suplicamos, ouve-nos quando clamarmos

Em tristeza pela antiga maldição
Que condenaria à morte um universo,
Veio para salvar uma raça arruinada
Com dons de cura de graça celestial

Quando a Terra se aproximava da noite mais escura,
Tu vieste, mas não em esplendor brilhante,
Não como um rei, mas como um infante
De Maria, a virgem mãe gentil.

Diante de seu grande nome majestoso,
Todos os joelhos devem se dobrar, todos os corações devem se curvar;
Todos os na terra estão, em uníssono
Junte-se aos que no céu estão para chamá-lo de Senhor.

A Deus Pai, Deus Filho
e Deus Espírito, Três em Um,
Louvor, honra, poder e glória
Sejam de geração em geração eternamente.

"Criador das estrelas da noite"
Hino latino, traduzido por John M. Neale.

3. ESPERANDO POR JESUS

Noé achou graça diante do Senhor [...] Noé era homem justo e íntegro entre os seus contemporâneos; Noé andava com Deus.
(GÊNESIS 6.8-9)

"Você está pronto para o Natal?" É uma pergunta que ouvimos com bastante frequência nesta época do ano! Mas os primeiros cristãos nunca teriam entendido tal pergunta. Nos primeiros três séculos de existência da igreja, o Natal não foi uma celebração importante. (Meus ancestrais escoceses mantiveram isso por muito mais tempo, mas outros crentes mais sensatos decidiram no século IV que o advento de Cristo era digno de uma reflexão mais profunda.)

Quando a igreja começou a celebrar o Natal, eles o fizeram com um foco duplo — tanto olhando para trás, para o que chamamos de encarnação, quanto para o fato de que esse mesmo Jesus, que veio como um bebê em Belém em relativa obscuridade, virá novamente em poder e glória. Pensar sobre este duplo motivo de reflexão e alegria suscita uma segunda (e mais importante) pergunta: estamos prontos para *Jesus*?

Deixamos o primeiro povo de Deus com a promessa daquele que "ferirá a cabeça" da serpente, esperando o nascimento da criança que reverteria os efeitos da Queda. Mas a próxima geração da humanidade não testemunhou a salvação, mas o assassinato. A humanidade não precisava mais de uma serpente falante porque a inspiração para o pecado era toda interior, levando à divisão, assassinato e vingança. Homens e mulheres foram "atraídos pela realidade interior de um magnetismo destrutivo".[1] O pecado estraga o que Deus fez como algo bom, espalha-se por toda a humanidade e separa o homem de Deus e também do próximo. Dez gerações depois, em Gênesis 6, a corrupção da humanidade em seus corações e em suas ações era tão grande que Deus resolveu: "Farei desaparecer da face da terra o homem que criei" (Gênesis 6.7). O Deus que estava e está no controle, aquele que moldou as águas na beleza da criação, determinou trazer essas mesmas águas para o lugar e usá-las como uma expressão de seu julgamento. Isso é bastante devastador. Este versículo não é o tipo de passagem bíblica alegre que você vai querer incluir no cartão de Natal de sua família. Mas a Escritura é clara: Deus executará seu justo julgamento.

---

1 Alec Motyer, *Look to the Rock: An Old Testament Background to Our Understanding of Christ* (Grad Rapids, Michigan: Kregel, 1996), p. 127.

No entanto, também é claro que, ao mesmo tempo, nosso Deus é um libertador gracioso e misericordioso.

Em meio à corrupção e à beira do julgamento, apareceu alguém que "achou graça diante do Senhor [...] Noé era homem justo e íntegro entre os seus contemporâneos". Descobrimos que Noé era um homem que "andava com Deus". Noé sabia quem era Deus e confiava que ele cumpriria suas promessas. Como ele confiava, ele obedeceu. Ele andou com Deus.

Você conhece o resto da história. Quando Deus o avisou sobre o que estava por vir e explicou como ele resgataria Noé e sua família, Noé obedientemente construiu a arca (que era aproximadamente do tamanho de um campo e meio de futebol, então você pode imaginar quanto tempo isso levou). Ele o construiu um dia de cada vez, confiando plenamente na palavra de Deus, esperando e se preparando para o julgamento prometido.

Esse tipo de perseverança fiel e confiança em Deus lhe descreve hoje?

Estou pronto para Jesus? Posso estar pronto para o Natal; os presentes já podem estar encomendados e embrulhados, as decorações podem parecer o cenário de um filme natalino e meu calendário social pode estar cheio. É tentador se concentrar nas coisas deste mundo, tanto as boas quanto as pecaminosas, talvez mais ainda nesta época em particular do que em qualquer outra. Porém, muito mais importante é o seguinte: estamos andando com Deus, para que estejamos prontos para a segunda vinda de Jesus, na salvação e no julgamento?

Não sabemos quando será esse dia, mas nos dizem para estarmos alertas, sermos pacientes e nos certificarmos de que estamos prontos.

Noé não andou com Deus em perfeição; nem nós. Mas tudo bem, porque Jesus Cristo andou em perfeição. Não nos foi dito que precisamos de um barco de madeira para encontrar refúgio do julgamento de Deus. Ouvimos que precisamos de uma cruz de madeira, pois sua ira foi derramada sobre seu único Filho no Calvário. Lá, Deus demonstrou misericórdia insondável ao colocar seu julgamento inimaginável em seu Filho. Ao ponderarmos sobre Cristo em um berço neste Natal, o fazemos conscientes do que ele realizou naquela cruz.

Misericórdia e graça foram dadas ali,
O seu perdão foi abundante para mim, Minh'alma ali

foi livre, enfim –
No Calvário.[2]

No primeiro Natal, encontramos um Noé melhor, resgatando-nos de um julgamento maior. Aquele que andou com Deus. Aquele que é Deus. O único em quem podemos encontrar refúgio e descanso, agora e para sempre. Andamos com ele ao confiarmos em suas promessas e, portanto, buscamos obedecer a seus mandamentos.

Para reflexão:

Você está pronto para o retorno de Jesus?

Você está enfrentando desafios para obedecer a Jesus de alguma forma? Em qual promessa dele você pode confiar para ser liberto e motivado a seguir seus mandamentos?

Tu deixaste Jesus, o teu reino de luz,
E baixaste a este mundo tão vil;
Um presépio em Belém, Tu, Jesus
Sumo Bem, escolheste por berço infantil
Vem, Jesus, habitar comigo,
Em minha alma há lugar, ó vem já.

Alegraram os céus, com os santos de Deus,
Sim, por teres nascido, Jesus;

2 William R. Newell, "At Calvary" (1895).

Vindo aos filhos de Adão conceder salvação,
Pela morte, em resgate, na cruz.
Vem, Jesus, habitar comigo,
Em minha alma há lugar, ó vem já.

"Tu deixaste o teu trono"
Emily Elizabeth Steele Elliott
Traduzido por Kate Stevens Crawford Taylor
(HCC 112)

4. PROVENDO UM CORDEIRO

De ti farei uma grande nação, e te abençoarei, e te engrandecerei o nome. Sê tu uma bênção!... em ti serão benditas todas as famílias da terra.

(GÊNESIS 12.2-3)

Dez gerações se passaram desde os dias de Noé até os dias de Abrão (mais tarde conhecido como Abraão). Após o julgamento que veio sobre a geração de Noé, seria razoável supor que era quase impossível para os descendentes de Noé esquecerem o refúgio gracioso que Deus havia provido na arca. Mas não...

Assim como a história de Noé tinha um fundo sombrio e depois um raio de esperança, o mesmo aconteceu com a história de Abraão. A escuridão caiu sobre a planície de Sinear, onde a orgulhosa rebelião da humanidade continuou na forma de sua recusa em tratar Deus como tal e encher a terra como ele havia proposto.

"Em toda a terra havia apenas uma linguagem e uma só maneira de falar", e eles se reuniram e disseram uns aos outros: "Vinde, edifiquemos para nós uma cidade e uma torre cujo tope chegue até aos céus e tornemos célebre o nosso nome, para que não sejamos espalhados por toda a terra" (Gênesis 11.1-4).

A empreitada foi abruptamente interrompida, é claro. Conhecendo o coração e a mente da humanidade, Deus disse: "Isto é apenas o começo [...] Vinde, desçamos e confundamos ali a sua linguagem" (Gênesis 11.6-7). E foi exatamente o que o Senhor fez.

Gênesis 12, no entanto, nos mostra outro raio de esperança. Em contraste direto com aqueles que se reuniam onde achavam melhor e queriam fazer um nome para si mesmos, Abraão foi ordenado por Deus a deixar para trás a terra que conhecia e colocar sua reputação (seu tudo, na verdade) nas mãos de Deus. Ele foi chamado a confiar na promessa de Deus: "De ti farei uma grande nação, e te abençoarei, e te engrandecerei o nome. Sê tu uma bênção!"

Somente Deus pode tornar um nome e um legado verdadeiramente grandes. E a linha melódica que percorre o resto do Antigo Testamento é essencialmente esta: em Abraão, "todas as famílias da terra serão abençoadas".

Em outras palavras, Deus prometeu que a descendência de Abraão traria a bênção que foi perdida como resultado da Queda. Foi Deus quem, em resposta à torre de Babel, dividiu e dispersou uma humanidade empenhada em desafiá-lo. Você pode experimentar um pouco dessa divisão em sua própria família neste Natal. Você certamente lerá sobre isso nos jornais.

E é Deus quem une e reúne uma humanidade que deseja adorá-lo.

Há um filme antigo lançado na década de 1970 chamado *O Último Natal* que teve parte de suas filmagens perto da igreja que pastoreei desde que me mudei para os Estados Unidos. É sobre um empresário moribundo, que descobre que está morrendo pouco antes do Natal e faz o possível para fazer as pazes com a família que havia abandonado anos antes.

Vou deixar que você veja como esse enredo se desenrola. Mas a maravilhosa história da Bíblia é que Deus está fazendo exatamente isso: reunindo seu povo e fazendo novas todas as coisas. Esse foi o seu propósito através das gerações da família de Abraão — 42, para ser exato — até o primeiro Natal e os dias de Jesus. No entanto, a linhagem escolhida quase parou antes que o filho de Abraão, Isaque, tivesse a chance de se casar e ter filhos. E, surpreendentemente, foi o próprio Deus que pareceu ameaçar as promessas que havia feito a Abraão.

Deus disse a Abraão para tomar seu único filho, aquele sobre quem repousava a promessa de abençoar famílias em todo o mundo, reunindo-as como povo de Deus, e oferecê--lo como sacrifício. Este mandamento não era algo simples; nenhuma explicação foi dada e nenhum benefício foi garantido. E, no entanto, Abraão obedeceu a Deus e "levantou-se de madrugada" para começar sua viagem com Isaque. A fé nas promessas da aliança de Deus que levaram Abraão a fazer as malas e deixar para trás sua antiga vida o capacitou a ser obediente, mesmo em meio a uma provação inconcebível que ameaçava essas mesmas promessas (Gênesis 22.1-5).

Depois de viajar quase 72 quilômetros com seu filho, no terceiro dia, Abraão olhou para cima e viu a montanha para a qual havia sido enviado: o Monte Moriá. E à medida que se aproximavam, ele certamente antecipou a pergunta que acabou vindo de Isaque: "Eis o fogo e a lenha, mas onde está o cordeiro para o holocausto?" Mesmo assim, Abraão confiava no Senhor: "Deus proverá para si, meu filho, o cordeiro para o holocausto" (Gênesis 22.7-8).

Quando a história atinge seu clímax, com o filho amarrado em um altar de sacrifício e o pai pronto para fazer o impensável por causa de sua fé e temor ao Senhor, Deus intervém, enviando um anjo para interromper o sacrifício de Isaque. Abraão olhou para cima e viu um carneiro preso na moita "e o ofereceu como holocausto em lugar de seu filho" (Gênesis 22.13).

Abraão havia dito que Deus proveria um cordeiro — mas, em vez disso, ele providenciou um carneiro. Isso não é um pouco estranho? Talvez não. Talvez a palavra profética de Abraão estivesse indo além de Moriá naquele dia, indo no berço de Belém, perto de onde um anjo interromperia alguns pastores que cuidavam de seus rebanhos à noite. Aqueles pastores deixavam seus cordeiros para ir ver outro: "Eis o Cordeiro de Deus, que tira o pecado do mundo!" (João 1.29).

E tirar nossos pecados é exatamente o que ele fez. Há cerca de 2.000 anos, no Monte Moriá, Deus fez com Seu Filho o que Abraão não precisou fazer com Isaque. Naquele dia, Deus levou Seu Filho até o topo da colina. Nos ombros daquele Filho, a madeira para o sacrifício o sobrecarregava com um grande peso. E na cruz, o Filho foi ferido; o Filho foi o sacrifício.

Esta é a história da salvação — a história de como "todas as famílias da Terra serão abençoadas", à medida que Deus reúne um povo que habitará com ele em unidade e harmonia para sempre. O que aconteceu com Abraão só pode ser entendido à luz do Cristo; o que aconteceu naquela manjedoura só pode ser entendido à luz da cruz. Deus agora está estendendo sua mão e reunindo pessoas de todas as nações, salvando um médico aqui e um estudante universitário ali, uma criança antes de dormir e uma bisavó em seu leito de morte. Ele salva pessoas de todas as tribos, todas as línguas e todas as nações. Pense em quantos milhões adorarão a Cristo neste Natal, reunindo-se com o povo de Deus para cantar louvores a ele. Surpreenda-se com o fato de que estaremos entre eles. Isso é obra de Deus, em cumprimento de sua antiga promessa a Abraão, e é glorioso aos nossos olhos.

Para reflexão:

Como as verdades que consideramos hoje fazem você se maravilhar com Deus?

Que diferença fará para você neste tempo de Advento lembrar que milhões de pessoas que você não está vendo estão adorando Jesus ao seu lado?

Vem, Jesus tão desejado,
vem Teu povo libertar;
pois, vencendo o seu pecado,
hás de Tua paz lhe dar.
És pra todos a esperança,
és consolo em aflição;
pois em Ti Teu povo alcança,
alegria em Teu perdão.
Tu nasceste bem pequeno,
mas és Rei libertado.
Reina em nós, ó Nazareno,
todo o dia, com amor.
Para termos acolhida
na celeste habitação,
vem, domina a nossa vida,
vive em nosso coração

"Vem, Jesus tão desejado"
Charles Wesley

PARTE 2
NATAL NA TERRA

5. O SENHOR SE LEMBRA

Lembrando-se dela o Senhor, ela concebeu e, passado o devido tempo, teve um filho, a que chamou Samuel, pois dizia: Do Senhor o pedi.

(1SAMUEL 1.19-20)

Se você tem filhos, provavelmente não conseguirá passar um dia em dezembro sem ter motivos para lembrar que o dia de Natal está chegando. Seja na contagem dos dias restantes no calendário até o Advento ou na conversa animada sobre os presentes, ou simplesmente na maneira como eles pulam de um pé para o outro enquanto falam sobre tudo o que o dia reserva... é difícil esquecer que o dia de Natal está chegando.

Mas é claro que lembrar o simples fato de que o Natal é em 25 de dezembro é de pouca utilidade. Imagine que a manhã natalina chega e você não fez nenhum preparativo e não comprou presentes. "Lembrei-me de que é dia de Natal" provavelmente não acalmará os inquietos corações das crianças (nem impedir o choro delas) nesse ponto!

Não, lembrar verdadeiramente que o dia de Natal está chegando significa não apenas saber disso, mas agir de acordo com esse dia. E assim é nas Escrituras quando lemos que Deus "lembrou-se". Não era que uma pessoa ou uma promessa tivesse escapado de sua mente e agora ele as recuperasse. É que ele agora está cumprindo uma promessa que ele fez.

Deus prometeu resgatar Noé da arca. E lembrou-se de sua promessa e as águas começaram a baixar.

Ele prometeu libertar Israel da escravidão no Egito. E lembrou-se de sua promessa e chamou Moisés para conduzir o povo à terra prometida.

Quando se tratava de Ana, porém, não havia nenhuma promessa específica.

Ana habitou na terra prometida algumas centenas de anos depois dos dias de Moisés, cerca de oito séculos depois que Deus fez suas promessas de aliança a Abraão. Durante os tempos de Ana não havia rei e repetidamente o povo fazia o que era certo aos seus próprios olhos, em vez do que era certo aos olhos de Deus (Juízes 21.25). Eles estavam na terra de Deus, mas estavam longe dele em seus corações. Por causa de sua desobediência, a nação de Israel experimentou instabilidade e insegurança.

De muitas maneiras, a vida de Ana foi um microcosmo da realidade de Israel. Ela era uma mulher estéril em uma nação espiritualmente infrutífera. No ponto da história dos planos de Deus em que ela viveu, não ter filhos significava não ter capacidade de fazer parte do plano de Deus de transformar a família de Abraão em uma grande nação — dos propósitos de Deus em continuar a trabalhar por meio de seu povo em direção ao dia em que seu Rei viria, quando aquele que foi prometido como o que esmagaria a cabeça da serpente chegaria.

Podemos imaginar Ana, em nossos termos, pensando em cada véspera de Ano Novo, *talvez o próximo ano seja o ano em que eu vou engravidar* — mas isso nunca aconteceu. Depois de anos sentindo uma angústia tão profunda e suportando zombaria de outras pessoas, Ana trouxe sua profunda aflição diante do Senhor em oração (1Samuel 1.9-18). E Deus "lembrou-se" de Ana, e ela deu à luz um filho. Quando ele fez isso, ele não estava simplesmente respondendo às orações de uma mulher, mas atraindo-a para seus planos — para a maneira como ele cumpriria suas promessas a Abraão. Ele se lembrou de Ana agindo para cumprir suas promessas.

Mal sabia Ana que o filho que lhe havia sido dado, Samuel, estava destinado a se tornar um profeta para o povo, para chamá-los de volta a viver sob o governo de Deus e para identificar e anunciar o rei que os pastorearia bem — o rei Davi. Mas Deus sabia de tudo isso quando "se lembrou" de Ana. A resposta que Deus providenciou para Ana foi parte de sua resposta para a situação muito maior de seu povo. Na vida de uma mulher não mais estéril, o drama do propósito redentor de Deus está se desenrolando diante de nossos olhos.

Repetidas vezes nas Escrituras, é assim que Deus trabalha — de maneiras humanamente impossíveis e por meio de pessoas improváveis. A esposa de Abraão, Sara, era estéril, mas Deus interveio e ela deu à luz Isaque (Gênesis 21.1-7). A mãe de Sansão também não podia ter filhos, mas Deus interveio, e ela deu à luz um filho que, em sua morte, derrotaria os inimigos de seu povo (Juízes 13). E assim, aqui, Ana não poderia ter um filho e ainda assim concebeu. Dessa forma, Deus mostra que o cumprimento de suas promessas é sua obra somente — não nossa. Mas ele também mostra que qualquer um pode ser atraído para seus grandes planos e propósitos, não importa o quão marginalizado ou difamado possa ser. O que quer que esteja em nosso passado ou presente, nunca estamos além de ser usados por Deus para promover seus gloriosos propósitos eternos. Hoje, assim como no passado, Deus se deleita em alcançar a vida monótona e comum de seu povo e redirecionar o curso da história humana.

Ao pensarmos em bebês nascidos de mulheres que não podiam engravidar, nossas mentes devem saltar para o Novo Testamento — não apenas para Maria, uma virgem, mas também para uma de suas parentes, Isabel. Ali estava uma mulher idosa e piedosa que, como Ana, havia experimentado anos de esterilidade — até que um anjo disse a seu marido, Zacarias (cujo nome significa "o Senhor se lembra"), que ela engravidaria. O filho de Isabel, como o de Ana, seria o meio de Deus para converter "muitos dos filhos de Israel ao Senhor, seu Deus. E (...) habilitar para o Senhor um povo preparado" (Lucas 1.16-17).Samuel ungiu o rei Davi; e o filho de Isabel e Zacarias, João, batizaria o Rei Jesus, o maior descendente de Davi. Ao ser agraciado com esse bebê, Zacarias percebeu que Deus havia começado a "lembrar-se da sua santa aliança", pois João foi o profeta enviado para anunciar a vinda daquele em quem todas as promessas de Deus têm o sim (Lucas 1.72;

2 Coríntios 1.20). No lar de um casal idoso e sem filhos, o drama do propósito redentor de Deus está se desenrolando diante de nossos olhos.

Deus se lembra de suas promessas e Deus se lembra de seu povo. Ele está sempre trabalhando para estabelecer sua Palavra e cumprir seu plano eterno de salvação. Ele trabalha em seu próprio tempo, não no nosso — Ana e Isabel poderiam atestar isso — e ele não promete dar a cada um de nós tudo o que desejamos. Mas ele nos dá o que mais ansiamos: paz com ele agora e um futuro com ele no qual não nos faltará nada, não conheceremos mágoa e nunca precisaremos derramar uma lágrima. Ele, de maneiras que nem sempre são imediatamente aparentes, trabalha *através de* nós para alcançar seus propósitos.

Então, ao olhar para o próximo ano, você pode ter certeza disso: será um ano em que seu Deus se lembrará de você e estará sempre trabalhando para o seu bem. E será um ano em que Deus vai trabalhar de maneira graciosa por meio de sua vida, para trazer suas promessas ao seu povo e para o seu mundo a fruição quando mais uma vez o Senhor Jesus vier — desta vez, não no ventre de uma virgem, mas nas nuvens do céu. Assim como Ana foi atraída para o drama do que Deus está fazendo em seu mundo, nós também estamos.

Para reflexão:

Como a verdade de que Deus se lembra de você pode consolá-lo hoje?

Existe alguém que você conhece com quem pode compartilhar essa verdade e esse consolo?

Ó, vinde, fiéis, triunfantes e alegres,
Sim, vinde a Belém, já movidos de amor!
Nasceu vosso Rei, o Messias prometido,
Ó, vinde, adoremos! Ó, vinde, adoremos!
Ó, vinde, adoremos ao nosso Senhor!

Deus de Deus,
Luz de Luz,
Eis, que ele não abomina o ventre da virgem;
Pleno Deus,
Unigênito, não criado;
Ó, vinde, adoremos! Ó, vinde adoremos!
Ó, vinde, adoremos, Cristo Senhor!

Cantem, coros angelicais;
Cantem, em exultação;
Cantem, todos os cidadãos do céu!
Glória a Deus,
Toda glória nas alturas!
Ó, vinde, adoremos! Ó, vinde, adoremos!
Ó, vinde, adoremos ao nosso Senhor!

Sim, Senhor, nós te saudamos,
Nascido nesta manhã feliz;

Jesus, a ti seja dada toda a glória!
Palavra do Pai,
Agora em carne surgiu!
Ó, vinde adoremos! Ó, vinde adoremos!
Ó, vinde, adoremos ao nosso Senhor!

"Ó, vinde, adoremos!"
Traduzido por Frederick Oakeley.

6. SERÁ QUE DEUS HABITARÁ NA TERRA?

Mas, de fato, habitaria Deus com os homens na terra? Eis que os céus e até o céu dos céus não te podem conter, quanto menos esta casa que eu edifiquei.
(2 CRÔNICAS 6.18)

Depois que a rainha Elizabeth II morreu, milhões de pessoas em todo o mundo pararam para assistir à cobertura de seu funeral. Cerca de um milhão de pessoas lotaram as ruas de Londres para o cortejo fúnebre. E cerca de duas mil pessoas — incluindo quase cem chefes de estado — encheram a Abadia de Westminster para homenagear sua vida e caráter. Você pode imaginar que cada participante dirá a seus filhos e netos: "Eu estava lá."

Da mesma forma, é seguro supor que aqueles que estavam presentes na dedicação do templo em Jerusalém teriam falado sobre isso com admiração e o teriam feito por toda sua vida.

Milhares de pessoas estiveram envolvidas na construção do templo durante o reinado de Salomão. Ocorreu durante um período de cerca de sete anos; Cerca de 70 mil homens carregavam cargas, 80 mil extraíam nas colinas e 3.600 estavam envolvidos como supervisores no projeto. Enquanto estava sendo construído, ficou claro que nenhuma despesa estava sendo poupada. O templo era dourado e exibia magnificência, com esculturas e pedras preciosas e revestido de ouro. O rei Davi desejava construir uma casa para o Senhor, mas Deus reteve esse privilégio dele e, em vez disso, concedeu-o a seu filho. Então Salomão acolheu isso com uma visão clara, dizendo: "A casa que edificarei há de ser grande, porque o nosso Deus é maior do que todos os deuses" (2 Crônicas 2.5).

Podemos pensar que, na dedicação do templo, Salomão estaria dizendo a si mesmo: *Isso pode ficar melhor?* Mas, em vez disso, ele perguntou: "Mas, de fato, habitaria Deus com os homens na terra?" Essa é a grande questão. De fato, era grande este templo para Deus, mas era grande o suficiente para aquele a quem "os céus e até o céu dos céus não te podem conter"? Foi grande o suficiente para restaurar o tipo de relacionamento que Adão e Eva tiveram com Deus no Jardim do Éden?

Anos de construção, nenhuma despesa poupada, dezenas de milhares de pessoas envolvidas no projeto, uma celebração justificável de dedicação nesses momentos e, naquele momento, o rei Salomão não conseguiu evitar essa realidade: Deus é incontrolável. Por maior que fosse a morada que ele construísse, como poderia ser majestosa o suficiente para o Deus da criação? No entanto, de maneira surpreendente, o Deus que habitou nas "densas trevas" do Monte Sinai veio e se encontrou ali com seu povo (2 Crônicas 6.1; 7.1-2). É virtualmente impossível ler os capítulos iniciais de 2 Crônicas sem ficar impressionado — como Salomão ficou — com o fato de que o Deus Criador mais uma vez condescendeu em habitar com seu povo, em mais uma imagem do desejo de Deus por redenção e relacionamento com seu povo.

No entanto, por mais especial que o templo fosse como o lugar onde Deus se reunia com seu povo, permanecia a sensação de que o plano ainda estava incompleto. Qual é o porquê disso? Porque o plano de Deus sempre foi centrado em uma pessoa e não em um objeto ou lugar.

Ao ler sua Bíblia, essa verdade surge repetidamente. Pense na mulher no poço em João 4. A mulher vem encher seus recepientes com água e, no decurso da sua conversa com Jesus, faz uma pergunta sobre o lugar: "Como, sendo tu judeu, pedes de beber a mim, que sou mulher samaritana (...) Nossos pais adoravam neste monte; vós, entretanto, dizeis que em Jerusalém é o lugar onde se deve adorar" (João 4.9, 20). Mas, parafraseando Jesus, ele essencialmente diz: *Não se trata de um lugar: isso é sobre uma pessoa. Aqueles que realmente adoram o Pai o fazem em espírito e verdade, e eu sou o enviado para tornar isso possível* (João 4.22-26).

O próprio Jesus é a Palavra eterna de Deus em ação; aquele que estava "no princípio" não poderia ser totalmente contido no templo de Salomão, mas ele escolheu assumir a forma humana. Por quê? Para habitar entre nós por um pouco de tempo, para que possamos habitar com ele para sempre. Em vez de perguntar: "Deus habitou na terra?", nosso conhecimento do Novo Testamento nos permite afirmar: "Deus habitou na terra."

J.I. Packer disse: "Nada na ficção é tão fantástico quanto essa verdade da encarnação."[1] É um pensamento impressio-

1 J. I. Packer, *Knowing God* (Lisle, Illinois: InterVarsity Press, 2021), p. 53.

nante, não é? O Deus da eternidade se manifestou na pessoa do Filho para viver em sua própria criação sem deixar de ser Deus. A plenitude de Deus estava contida em um corpo humano. Aquele que moldou o cosmos tornou-se uma partícula em seu próprio cosmos. Ele habitou com seu povo no deserto, no templo e na fragilidade humana.

E ele ainda habita com seu povo hoje.

A maioria de nós gasta (ou pelo menos pretende gastar) uma boa parte de cada época de Natal refletindo sobre o fato de que Deus habitou entre nós na pessoa de nosso Senhor Jesus. Mas tendo vivido, morrido e ressuscitado, Jesus agora está fisicamente presente à direita do Pai nas alturas. Como, então, Deus habita agora na terra, no tempo e no espaço? A resposta é encontrada naquele a quem Jesus prometeu que seu Pai enviasse:

> *E eu rogarei ao Pai, e ele vos dará outro Consolador, a fim de que esteja para sempre convosco, o Espírito da verdade, que o mundo não pode receber, porque não o vê, nem o conhece; vós o conheceis, porque ele habita convosco e estará em vós. (João 14.16-17)*

Deus graciosamente derramou seu Espírito Santo naqueles por quem seu Filho veio, viveu, morreu e ressuscitou. Aqueles que confiaram nele, aqueles que o amam, aqueles que foram reunidos como pedras vivas a Cristo, nossa pedra angular, são agora o próprio lugar onde Deus habita.

Neste Natal, podemos ficar maravilhados — assim como Salomão fez na dedicação do templo — ao considerarmos o fato de que Deus realmente habitou na Terra. E lembre-se, se você está em Cristo, "*vocês* também estão sendo edificados juntamente como morada de Deus pelo Espírito" e "o templo de Deus é santo, e *vocês* são esse templo" (Efésios 2.22; 1Coríntios 3.17). Deus edificou a sua própria casa para habitar na terra: a sua igreja, nós.

Para reflexão:

Que diferença a leitura de hoje faz para sua visão de si mesmo e de sua igreja?

Nosso Deus, o céu não pode contê-lo,
Nem a terra sustentá-lo;
Céus e terra passarão
Quando ele vier para reinar:
No meio do inverno sombrio
Um estábulo bastou para o Senhor Deus Todo-Poderoso,

Jesus Cristo.

O que posso dar a ele,
Pobre como sou?
Se eu fosse um pastor,
Eu traria um cordeiro,
Se eu fosse um sábio, faria a minha parte,
Mas o que eu posso a ele eu dou, eu dou meu coração.

"No meio do inverno sombrio"
Christina Rossetti

7. UMA LUZ SE ACENDEU

O povo que andava em trevas viu grande luz, e aos que viviam na região da sombra da morte, resplandeceu-lhes a luz.

(ISAÍAS 9.2)

A Bíblia nunca disfarça o quão sombria a vida pode ficar. As Escrituras são claras que quando Deus é deixado de fora — quando escolhemos seguir nosso caminho em vez do caminho dele — as trevas são o resultado.

Os dias em que o profeta Isaías viveu eram realmente sombrios. O grande templo de Salomão não era o local de adoração real, mas de corrupção egoísta. Reis iníquos falharam em apontar Israel de volta ao seu verdadeiro Rei. A injustiça reinou. O povo de Deus se acostumou a ignorar seus profetas. No entanto, a vida não deu certo para eles. A escuridão de seus próprios corações e conduta foi acompanhada pela escuridão iminente da invasão do norte, dos poderosos assírios.

Tudo isso os deixou "oprimidos e famintos", mas tal foi sua rejeição ao Senhor que escolheram "falar com desprezo contra seu rei e seu Deus". Teria sido razoável que o Senhor os tivesse deixado experimentar a "angústia, escuridão e sombras de ansiedade", sem esperança ou futuro (Isaías 8.21-22). Eles não o queriam. Ele só estaria dando o que eles mesmos escolheram.

Mas nosso o Deus cumpre suas promessas.

Isaías 9 começa com uma gloriosa inversão. Exatamente onde podemos antecipar a leitura de que Deus desviará seu rosto dessas pessoas rebeldes, lemos: "Mas para a terra que estava aflita não continuará a obscuridade" (Isaías 9.1). O Senhor não deixaria seu povo e não permitiria que permanecessem na miséria. Não, para essas pessoas nas trevas, "resplandeceu-lhes a luz". A luz de Deus irromperia na escuridão autoinfligida do pecado, em última instância e de maneira suprema na forma do Messias prometido.

Isaías estava escrevendo cerca de 800 anos antes de Jesus, então por que ele estava escrevendo sobre o advento de Cristo como se já tivesse acontecido? Resposta: porque era tão vívido, tão claro e tão certo em sua mente que, sob a inspiração do Espírito Santo, ele poderia usar o tempo profético perfeito para deixar claro exatamente o que iria acontecer. É por isso que Pedro, quando escreveu sobre os profetas do ponto de vista do primeiro século, do outro lado da vinda de Cristo, disse que os profetas estavam, em certo sentido, na ponta dos pés, olhando para ver o cumprimento das coisas que haviam escrito (1 Pedro 1.10-11).

Mas *como*? Como a profecia de Isaías poderia se cumprir? Como as trevas podem ser substituídas pela luz, a guerra ser substituída pela paz, a angústia ser substituída pela alegria? O profeta escreve: — Você multiplicou a nação; *você* aumentou sua alegria (Isaías 9.3). Quem é que fez acontecer tudo isso? Resposta: — Somente Deus, pois ele é a fonte da luz, e é somente em sua luz que realmente vemos. Não há como os tristes serem consolados, os quebrantados serem curados e essa luz raiar no coração e na mente humanos — a não ser que Deus o faça.

Justamente quando parece que o inverno da alma está prestes a chegar em toda a sua tristeza esmagadora, a luz de Deus brilha. E é uma luz deslumbrante, porque ele é o Deus de misericórdia e graça incomensuráveis. Ele entra na escuridão e no vazio de nossas experiências para trazer sua luz, alegria e paz. É uma história que nos é transmitida de forma tão maravilhosa na celebração das luzes que desfrutamos nesta época do ano.

Não muito tempo depois do começo e fim do ministério de Isaías, o povo de Deus novamente se viu em angústia. Governantes estrangeiros triunfaram sobre eles e nenhuma palavra profética foi ouvida por muitos anos. *Talvez ele realmente tenha acabado conosco desta vez,* as pessoas podem ter pensado. *Talvez o Senhor finalmente tenha se cansado de nós.*

Mas nós sabemos que o que aconteceu foi diferente. Sabemos que nessa escuridão nasceu uma criança. A boa notícia do Natal é que o Deus da Bíblia, a luz do mundo, veio e entrou nas trevas, e elas não puderam vencê-lo. Você está andando em trevas hoje, seja na escuridão do seu próprio pecado ou na escuridão causada pelo pecado de outros? Lembre-se, Deus não tem medo nem é derrotado por essas coisas. Anime-se, pois em Jesus, Deus se aproximou. Por seu Espírito, ele pode e trará luz às trevas. Olhe para ele e ande em sua luz.

Para reflexão:

Releia o parágrafo anterior. Sua perspectiva sobre este mundo, ou suas próprias circunstâncias, precisam mudar? Que diferença a luz fará para você hoje?

Ó, vem, ó, vem, Emanuel,
E salva o aflito Israel

Que chora o exílio em seu viver
Até Jesus aparecer.
Cantai! Cantai! Emanuel
Virá a vós, ó Israel!

Sabedoria do alto vem,
Ordena tudo aqui também!
O bom caminho, vem mostrar;
E como nele sempre andar.
Cantai! Cantai! Emanuel
Virá a vós, ó Israel!

Ó, vem, rebento de Jessé,
E dá-nos novo ardor e nova fé;
Vem, faze-nos o mal vencer
Com tua luz e teu poder.
Cantai! Cantai! Emanuel
Virá a vós, ó Israel!

Ó, Desejado das nações,
Unidos faze os corações.
Do mundo vem tirar o mal
E dar-lhe a paz celestial.
Cantai! Cantai! Emanuel
Virá a vós, ó Israel!

"Ó, vem, Emanuel"
Hino latino, traduzido por John M. Neale.

8. UM MENINO NOS NASCEU

Porque um menino nos nasceu, um filho se nos deu; o governo está sobre os seus ombros; e o seu nome será: Maravilhoso Conselheiro, Deus Forte, Pai da Eternidade, Príncipe da Paz.

(ISAÍAS 9.6)

O Natal é a resposta definitiva de Deus para todas as trevas do mundo e todas as decepções da vida. No Natal, a resposta para as esperanças e medos de todos os anos é encontrada em um único bebê recém-nascido.

Homens e mulheres piedosos estavam esperando o nascimento dessa criança desde a promessa daquele que esmagaria a serpente no Éden. O povo de Israel há muito aguardava a chegada daquele que encarnaria todas as suas esperanças. Os profetas estavam declarando a vinda de um Messias e a expectativa de tal libertador crescia constantemente. E, ao profetizar a vinda da luz às trevas, Isaías intensificou esse anseio, dando detalhes maravilhosos sobre a identidade e a obra desse Rei vindouro. Nos dias de Isaías, o povo de Deus ainda tinha séculos de espera antes de sua chegada.

Mas nós não. Hoje, olhe comigo para aquela manjedoura do primeiro século e maravilhe-se com aquele que estava lá.

Esse menino é o nosso "Maravilhoso Conselheiro". No mundo antigo, os reis eram conhecidos em certa medida por seus conselheiros. A extensão de sua autoridade e governo ficou aparente pelo número de conselheiros que eles podiam chamar para orientação. Um governante sábio é honesto o suficiente para reconhecer que não pode saber tudo sobre tudo e, portanto, precisa de pessoas para lhe dar conselhos. E, no entanto, esse rei, disse Isaías, não teria nenhuma — não porque lhe falte sabedoria, mas porque ele é a personificação dela. Ele mesmo é o Maravilhoso Conselheiro; ele não precisa de nenhuma sabedoria externa para governar com perfeição absoluta, bem como autoridade total. Ele não requer conselhos, não comete erros e faz suposições sobre o melhor caminho a seguir, para si mesmo ou para seus súditos. Como um Maravilhoso Conselheiro, ele tem um plano perfeito.

Este menino é o nosso "Deus Forte". E, portanto, ele tem o poder de executar esse plano perfeito. Afinal, um plano por si só não é bom se você não puder executá-lo. Mas aqui está um rei que pode andar sobre as águas, curar os enfermos e ressuscitar os mortos. Ele é o Rei divino, e nada é difícil demais para ele. A autoridade de Cristo nunca chegará ao fim, pois ele é o Senhor da criação. A maravilha das maravilhas, o milagre dos milagres, é que esse Deus entrou em nossas circunstâncias, assumiu a fragilidade das criaturas e acolheu a fraqueza humana na plenitude de seu poder. Nunca deixe de se surpreender com o fato de que, ao olhar com os olhos da fé para o bebê que está lá dentro, você está olhando para o Deus Poderoso.

Este menino é o nosso "Pai da Eternidade". Aqui passamos do plano de Deus e seu poder para sua paternidade. O menino que foi prometida em Isaías é o nosso Pai da Eternidade. Este título aqui não é uma referência à primeira Pessoa da Trindade, pois foi Deus, o Filho, que assumiu a carne humana. Isaías está dizendo que Jesus é como um pai perfeito para o seu povo:

Ele nos cuida e nos poupa como um pai;
Nosso corpo fraco ele bem formou.
Ele nos carrega em suas mãos gentis
de todos os nossos inimigos ele nos resgatou.[1]

1 Henry Francis Lyte, "Praise, My Soul, the King of Heaven" (1834).

Em outras palavras, tendo nos trazido para sua família, Jesus nos manterá firmes para sempre. Ele não chegou ao ponto de nos procurar, nos perdoar, nos acolher e nos atrair para si mesmo para que ele pudesse simplesmente nos deixar de lado. "Eternidade" não é apenas uma referência ao seu ser eterno; é uma referência à dimensão interminável de seu cuidado. Nunca haverá um dia em que o Senhor Jesus não saiba o que você precisa. Nunca haverá um dia em que o Senhor Jesus não seja capaz de fazer o que você precisa. E nunca haverá um dia em que o Senhor Jesus não deseje fazer o que você precisa, pois o amor dele por você é semelhante ao de um pai. Não há limite e não pode haver fim para o seu amor por você. O Senhor da criação cuida de nós todos os dias, de todas as maneiras, como um pai perfeito.

Este menino é o nosso "Príncipe da Paz". O pecado estraga as coisas para todos nós. Isso nos separa uns dos outros e de Deus. Todos nós, por natureza, somos "estranhos e inimigos no entendimento" em relação ao nosso Criador (Colossenses 1.21). Mas o Príncipe da Paz chegou! Jesus Cristo tem o poder para acabar com o conflito entre Deus e a humanidade, pois ele cruzou a divisão entre Deus e nós em sua encarnação, superando a divisão entre nós e Deus em sua morte e ressurreição. Ele é o único que é capaz de ocupar o lugar onde merecíamos estar por causa do nosso pecado; Ele é o único que nos ama o suficiente para escolher tomar nosso lugar, apesar de nosso pecado. Encontrar a verdadeira paz e prosperidade não é uma questão de realização pessoal. Não se trata de nos consertarmos ou sermos pessoas melhores no próximo ano do que fomos este ano. Trata-se de abraçar o que Cristo alcançou.

Nosso Maravilhoso Conselheiro, Deus Forte, Pai da Eternidade e Príncipe da Paz chegou. Sem Jesus, se possuímos tudo, realmente não temos nada; e com Jesus, mesmo que não tenhamos nada, realmente temos tudo. Podemos nos submeter com alegria aos seus planos, dobrar os joelhos ao seu governo, confiar em seu terno cuidado e deixar sua paz habitar em nossos corações. Pois para nós nasceu este menino, este Rei.

Para reflexão:

Qual das quatro descrições do Senhor Jesus que desfrutamos hoje mais tocou o seu coração? Por que isso o leva a louvá-lo? E o que o impulsiona a pedir que Deus faça algo em você ou por você?

Na bela noite se ouviu dos anjos a canção,
Ao mundo proclamando boas-novas, em união.
Envolve a terra doce paz do reino celestial;
Nas trevas de Belém brilhou o singular sinal.

O Cristo prometido veio aos homens resgatar
E neste mundo se ouviu hosanas a soar.
Na noite calma do Natal feliz canção nasceu
E nova esperança e paz a terra recebeu!

Predito por profetas foi o tempo do Senhor
Em que no mundo reinará de Deus o dom de amor!
Então aqui virá reinar Jesus, o Rei da paz,
E fruiremos outra vez, seu dom que satisfaz.

"Na bela noite se ouviu"
Edmund H. Sears

9. BOAS-NOVAS DE CONSOLO E ALEGRIA

Consolai, consolai o meu povo, diz o vosso Deus (...) Voz do que clama no deserto: Preparai o caminho do Senhor; endireitai no ermo vereda a nosso Deus. Todo vale será aterrado, e nivelados, todos os montes e outeiros; o que é tortuoso será retificado, e os lugares escabrosos, aplanados. A glória do Senhor se manifestará, e toda a carne a verá, pois a boca do Senhor o disse.

(ISAÍAS 40.1, 3-5)

Que Deus o abençoe, cavalheiro feliz é uma canção tradicional inglesa que já existe há muito tempo. Na obra de Charles Dickens, *Um conto de Natal*, essa canção faz uma aparição precoce, mas interrompida. Um cantor começa a cantar as primeiras linhas, mas "ao ouvir o primeiro verso... Scrooge agarrou a régua com tamanha determinação, que o cantor fugiu apavorado".[1] Scrooge era um estranho para as "boas-novas de consolo e alegria" que o coro anuncia.

1 Charles Dickens, *A Christmas Carol* (1843), pauta 1.

Muito antes de essa história ser escrita por Dickens, muito antes de a canção ser cantada pela primeira vez, uma mensagem muito direta foi dada por Deus a seus mensageiros: "Consolai, consolai o meu povo." Esta mensagem foi estendida àqueles que estavam em crise — isolados, oprimidos, desanimados. E (embora eles não quisessem aceitá-la) a razão pela qual eles se encontravam em tal posição era essencialmente que eles haviam parado de ouvir a Deus e a seus servos. Em vez de obedecê-lo, eles decidiram que tentariam descobrir a vida por conta própria; em vez de reconhecê-lo, eles o ignoraram. Então eles concluíram que Deus os havia esquecido: que ele não se importava com eles.

Mas a verdade era o oposto disso. O povo pode se afastar de Deus, mas ele nunca desistiria de seu povo. Que consolo!

Esta mensagem de consolo de Isaías pode ser resumida de forma útil em quatro palavras. A primeira palavra é proclamação. É verdade dizer que Isaías proferiu essas palavras, mas é igualmente verdadeiro dizer que "a boca do Senhor o disse". O que temos é uma estranha dualidade e a maravilhosa realidade de que Deus é o mensageiro supremo, escolhendo transmitir sua mensagem por meio de instrumentos humanos. E sua mensagem é de consolação.

Que consolo é esse que está sendo proclamado? "A guerra acabou... a iniquidade é perdoada", e o salário do pecado foi pago (Isaías 40.2). Deus está essencialmente dizendo ao seu povo: *Esse fracasso, essa desobediência, já durou o suficiente.* O povo pecou e sofreu por isso, mas esse não foi o fim de sua história.

Isaías 40 é uma palavra profética — uma palavra que foi proferida na realidade dos dias de Isaías, mas que também tinha uma realidade futura ainda a ser revelada em toda a sua plenitude. Mesmo assim, ele fala conosco hoje. Pecamos e sofremos por isso, e o mundo está cheio das consequências da rebelião da humanidade contra nosso Criador. Mas — como Isaías nos lembra repetidamente — esse não é o fim da nossa história. Deus graciosamente consola seu seu povo eleito: "Eu, eu mesmo, sou o que apago as tuas transgressões por amor de mim e dos teus pecados não me lembro", ele nos diz. "Desfaço as tuas transgressões como a névoa e os teus pecados, como a nuvem; torna-te para mim, porque eu te remi" (Isaías 43.25; 44.22). Alguém estava vindo para levar os pecados e as tristezas (Isaías 53.4-6): alguém que, em si mesmo, oferece consolo e alegria.

A tarefa, então, é de *preparação* — a nossa segunda palavra. Uma parte fundamental da proclamação dos mensageiros é clamar: "preparai o caminho do Senhor". Foi assim que João Batista recebeu o ministério de anunciar a vinda do Senhor Jesus. Ele foi o cumprimento de Isaías 40.3. Mas há um certo aspecto em que todos nós estamos alinhados com João Batista.

Como nossos amigos, vizinhos e entes queridos saberão que Jesus veio para trazer consolo e alegria? Ouvindo a mensagem do Evangelho. Como podem ser convidados a preparar o caminho para seu segundo advento, a estarem prontos para recebê-lo? De nossos lábios. Os cristãos são mensageiros, quem quer que sejamos e onde quer que Deus nos tenha colocado. O significado de nossa tarefa não está em quem somos, mas na maravilha desta mensagem que nos foi dada para proclamar: *Prepare-se para encontrar o Deus contra quem você pecou, mas que veio para acabar com todos os seus pecados e sofrimentos.*

Isso nos leva ao versículo 4 e à nossa terceira palavra: *transformação*. Quando lemos que o terreno irregular "será aplanado", Deus está dizendo que quando ele vier vai lidar com os obstáculos — incredulidade, tentação, injustiça e muito mais. Há tanta coisa entre este mundo como ele é e o mundo que Deus prometeu que um dia será — de fato, muito disso está dentro de nossos próprios corações. O que você e eu podemos fazer sobre tudo isso? Em certo sentido, a resposta é: nada! Mas isso é um consolo, não um desânimo. Pois somente Deus é capaz de derrubar os muros. Somente Deus pode erguer vales, achatar montanhas e renovar um coração de pedra. E ele promete realizar essa obra.

Quais são suas lutas? Você está se sentindo incapaz de lidar com o orgulho excessivo, as profundezas da falta de autoestima ou a duração de suas provações? Lembre-se, Deus vai aplainar a sua vida. Deus pode levá-lo a vencer desafios que você nunca conseguiria vencer sozinho. Ele nunca sofre contratempos. Ele supera todos os obstáculos. Ele vem ao seu encontro, sempre chega sem falhar e nunca se atrasa.

Isso nos leva à nossa palavra final: *revelação*. "A glória do Senhor será revelada, e toda a carne juntamente a verá." A glória de Deus é o seu caráter: é quem ele é. A glória de Deus é que ele é misericordioso, gracioso, santo, abundante em amor, tardio em se irar, fiel às promessas da aliança e muito mais (Êxodo 34.6). E ele revelou essa glória, de forma mais completa e maravilhosa, quando "o Verbo se fez carne e habitou entre nós, e vimos a sua glória, glória como do Filho unigênito do Pai, cheio de graça e verdade" (João 1.14). Isaías estava ansioso pelo Natal. Tudo o que pode ser conhecido de Deus em forma humana é encontrado em Jesus, e é por isso que seu advento é digno de uma reflexão tão profunda e grande celebração.

Aqui, então, está o verdadeiro consolo e a verdadeira alegria. Deus falou. O pecado e o sofrimento não são o fim da história. A conclusão depende da obra de Deus e não da nossa. Essa é a esperança para a alma mais abatido e o calor para o coração mais frio. Isso é o que nos salva de nos tornarmos alguém como o Scrooge, mesmo quando lidamos com os desafios e dificuldades da vida. Deus entrou na história, vimos sua glória e é aqui que encontramos nossas maiores e inabaláveis boas-novas de consolo e alegria.

Para reflexão:

Como essas verdades trazem a você, em suas circunstâncias particulares, consolo e alegria? Você conhece alguém que esteja precisando que esta mensagem seja compartilhada com ele, apontando para a fonte de verdadeiro consolo e alegria?

Que Deus os abençoe, cavalheiros,
Não deixem que nada os aflija.
Lembrem-se de Jesus, nosso Salvador
Nasceu no dia de Natal
Para nos salvar do poder de Satanás
Quando nos perdemos.
Boas-novas de consolo e alegria,
Consolo e alegria.

De Deus, nosso Pai celestial,
Veio um anjo bendito
E a alguns pastores
Trouxe novas do Deus-menino:
Como em Belém nasceu
O Filho de Deus, o Cristo.
Boas-novas de consolo e alegria,
Consolo e alegria.

"Que Deus os abençoe, cavalheiros"
Uma canção inglesa

10. PEQUENA VILA DE BELÉM

E tu, Belém-Efrata, pequena demais para figurar como grupo de milhares de Judá, de ti me sairá o que há de reinar em Israel, e cujas origens são desde os tempos antigos, desde os dias da eternidade (...) Ele se manterá firme e apascentará o povo na força do Senhor, na majestade do nome do Senhor, seu Deus; e eles habitarão seguros, porque, agora, será ele engrandecido até aos confins da terra. Este será a nossa paz.

(MIQUÉIAS 5.2,4-5)

Setenta anos atrás, o pastor e tradutor da Bíblia J.B. Phillips fez uma série de palestras que mais tarde se tornaram um livro. Em uma delas, ele fez esta observação:

> *Enfrentamos hoje um mundo dilacerado e dividido. A angústia das nações é tão generalizada, os problemas enfrentados por todo cristão ponderado são tão complexos, que acho que podemos ser perdoados se nosso coração às vezes nos desanimar... Mas, para nosso consolo, podemos nos lembrar de que as tensões e os sofrimentos mundiais só nos parecem mais avassaladores do que eram para nossos antepassados porque estamos muito mais bem informados sobre eles em função dos meios modernos de transmissão de notícias do que jamais poderiam estar.*[1]

1 J. B. Phillips, *Making Men Whole* (Eugene, Oregon: Wipf & Stock Publishers, 2012), p. 13.

Phillips estava se referindo à tecnologia como transmissões de noticiários radiofônicos. Você pode imaginar como ele lidaria com coisas como mídias sociais, smartphones e canais de notícias 24 horas? Nunca foi tão fácil se manter informado. De certa forma, isso é uma bênção; de outras maneiras, é algo opressor e um indutor de ansiedade. Cada avanço tecnológico vem com a promessa de unir as pessoas — e, no entanto, em todas as gerações, as pessoas ainda acham a paz ilusória, mesmo que anseiem por ela.

A geração de Miquéias não foi diferente. O povo ansiava pela paz. Quase sete séculos antes do primeiro advento de Cristo, estrangeiros haviam sitiado Jerusalém, e o povo da cidade mal conseguia se defender. Eles eram um povo subjugado, incapaz de reunir tropas suficientes para lutar contra o inimigo. O cenário deles era uma desgraça absoluta.

Deve ter sido um tempo muito confuso para o povo de Deus. Eles deveriam ser um povo escolhido, separado para Deus, os portadores de sua grande promessa de abençoar e restaurar o mundo, mas agora parecia que tudo isso estava prestes a ser destruído. Eles provavelmente teriam pensado consigo mesmos: *Onde estão as promessas de Deus? Será que algum dia encontraremos a paz novamente?*

A resposta não foi o que eles esperavam.

Miquéias anunciou que a esperança estava chegando; mas a surpresa era de onde vinha essa esperança. O governante prometido, que reverteria as derrotas, curaria as divisões e traria paz, não viria de Jerusalém, mas de Belém.

Jerusalém era a cidade real, a localização do templo e o principal foco geográfico do povo de Deus. Belém, por outro lado, não estaria no radar de ninguém. Era "pequena demais para figurar como o grupo de milhares de Judá". Não teria entrado na lista das cem melhores cidades, muito menos das dez melhores. No entanto, o significado de Belém é encontrado em sua insignificância.

Pensando no resto da história da Bíblia, percebemos que isso faz todo o sentido. É assim que Deus trabalha! Quando Golias zombou do povo de Israel, os soldados fortes e corajosos de Israel fugiram. Em vez disso, Deus usou um pequeno e insignificante menino pastor — vindo de Belém, em vez de qualquer outra cidade! — com cinco pedras e uma funda para libertar o povo de Deus. Esse é o método de Deus.

Miquéias anunciou mais uma vez um Pastor-Rei que viria da pequena cidade de Belém. Ele ficaria no lugar de autoridade, pastorearia seu rebanho na força do Deus vivo e concederia segurança àqueles que confiam nele. Miquéias profetizou que nele o povo de Deus finalmente encontraria paz duradoura.

Esta não é uma mensagem que qualquer um que queira ser aceito e crido pelas massas jamais inventaria! No entanto, foi a partir deste lugar insignificante que o Messias veio governar. Aquele que estava deitado em uma manjedoura em Belém era aquele com um reino sem fim que supera todos os outros reinos. O nascimento daquele por meio de quem todas as coisas foram feitas foi anunciado a alguns pastores insignificantes, em vez das elites culturais.

Reconhecer o padrão dos caminhos de Deus nos dias antigos nos permite reconhecer que esse é exatamente o tipo de coisa que devemos esperar no primeiro Natal, pois é assim que Deus trabalha: nos lugares tranquilos, nos lugares esquecidos e por meio daqueles que são fracos e inexpressivos. Ele nos prepara para a realidade de que aquele sobre quem todas as promessas de Deus repousavam morreria uma morte humilhante na cruz. Isso nos lembra que esse é e sempre foi o método de Deus. E isso muda a maneira como olhamos para nossas próprias vidas.

Eu tenho um pequeno livreto chamado *Five Minutes' Peace*.[2] Ele conta a história de uma mãe elefante que só quer cinco minutos de paz longe de seus filhos — mas assim que ela tenta obter paz, tudo fica mais caótico. Isso é certamente algo com o qual toda mãe pode se identificar! Em meio ao caos, ansiamos por alguns momentos de descanso, mas muitas vezes parece inatingível. Olhe ao seu redor e você verá que a verdadeira paz parece estar virtualmente ausente, de maneira global, nacional, local e pessoal. Mesmo apenas cinco minutos de paz estão além de nós e do nosso mundo — muito menos uma paz duradoura.

Sua vida neste Natal é marcada de uma forma ou de outra por relacionamentos fragmentados, dificuldades financeiras, perdas pessoais ou outras decepções? Se assim for, aqui está uma boa notícia para você: em Jesus, o Messias que nasceu na pequena cidade de Belém, você encontrará uma paz genuína e duradoura. Essa paz está em primeiro lugar com o próprio Deus, depois com nós mesmos e dentro de nossos relacionamentos e comunidades, à medida que aprendemos a refletir o Deus da paz na maneira como abordamos tensões, dificuldades e conflitos.

2 Jill Murphy, *Five Minutes' Peace* (Londres: Walker, 1986).

Deus está trabalhando, muitas vezes de maneiras invisíveis para a maioria e não relatadas em canais midiáticos — assim como nos dias de Miquéias e nos dias de Jesus. Mas este é um mundo no qual o Messias, o Príncipe da Paz, veio para trazer essa paz sobrenatural e eterna a todos os que confiam nele. Independente de tudo o que enfrentar, você pode desfrutar da paz com o Criador, pois ele morreu para conquistá-la para você. Ao saber que está em paz com o único cuja opinião importa eternamente, você estará livre, pela graça de Deus, para buscar viver em paz.

Para reflexão:

Há algum relacionamento em que você, fortalecido pelo fato de saber que já está em paz com Deus, possa buscar promover a paz hoje?

A verdade de que Deus opera nos lugares silenciosos e esquecidos, por meio daqueles que são fracos e inexpressivos, é algo que anima ou humilha você?

Pequena vila de Belém, repousa em teu dormir
Enquanto os astros lá no céu estão a refulgir.
Porém nas tuas trevas resplende a eterna luz,
Incomparável, divinal: Nasceu o bom Jesus!

Vós, anjos, dai real louvor ao Pai, eterno Deus
E ao mundo inteiro anunciai as novas lá dos céus.
Estrelas matutinas, em hinos de louvor,
Aos anjos e homens proclamai de Deus o eterno amor.

O dom glorioso, divinal, nenhum alarde faz,
Por Cristo aos homens nosso Deus concede graça e paz.
Sereno e muito humilde, vem Elè ao mundo, assim.
Trazendo a todos redenção, mostrando amor sem fim.

Habita em nossos corações, infante e Rei Jesus,
Pois desejamos contemplar visões da Tua luz.
Nos céus proclamam anjos o amor do Deus fiel.
Oh, vem, Senhor, em nós morar, eterno Emanuel!

"Pequena vila de Belém"
Phillips Brooks

PARTE 3

O NATAL NOS EVANGELHOS

11. TODAS AS PROMESSAS FORAM CUMPRIDAS

Livro da genealogia de Jesus Cristo, filho de Davi, filho de Abraão.
(MATEUS 1.1)

O início do Novo Testamento pode não nos parecer muito inspirador se formos imediatistas! Na verdade, se alguém estivesse lendo a Bíblia pela primeira vez e chegasse ao final do Antigo Testamento e ao livro de Malaquias, que aponta para o futuro com expectativa, sua empolgação poderia diminuir quando o próximo livro começasse com... uma genealogia. Podemos ser tentados a pular Mateus e começar com outro Evangelho.

Na verdade, alguns anos atrás, percebi que passei mais de três décadas de ministério pulando os primeiros 17 versículos deste Evangelho na época do Natal. Eu ia direto para o versículo 18: "Ora, o nascimento de Jesus Cristo foi assim..." Perceber que eu fazia isso ano após ano me levou a considerar mais cuidadosamente a grande lista de nomes que a genealogia de Mateus contém.

Marcos vai direto ao ponto, Lucas fornece um esclarecimento de sua abordagem e uma dedicatória ao seu primeiro leitor, e João começa de maneira poeticamente bela ao refletir sobre a divindade e a eternidade de Jesus; por que Mateus começa com uma lista? Porque ele quer deixar claro que não podemos entender a chegada de Jesus a menos que a entendamos à luz do panorama geral que a Bíblia nos oferece — a menos que a vejamos no grande esquema dos planos e propósitos de Deus em desenvolvimento. (Eu penso que Mateus teria aprovado nossa abordagem para este devocional do Advento, começando em Gênesis e chegando ao seu Evangelho apenas no 11º dia!)

Os leitores judeus do Evangelho de Mateus do primeiro século estavam esperando para ver como Deus cumpriria suas promessas por meio de seu Messias. E é por isso que, de fato, o Novo Testamento não poderia começar de maneira mais adequada, já que a genealogia em Mateus traça a linhagem de Abraão a Davi e até Jesus, o Messias, aquele que cumpre todas as promessas que Deus fez ao seu povo ao longo dos séculos. Mateus está contando a incrível história da fidelidade de Deus ao abençoar todas as nações da Terra, como ele havia prometido a Abraão; ele está desvendando a linhagem real para demonstrar como Deus permaneceu fiel à sua aliança com o Rei Davi ao enviar o Rei Jesus; ele está mostrando que o tempo de exílio espiritual estava chegando ao fim, assim como o exílio físico havia acontecido. O valor dessa longa lista está no reconhecimento do papel desses indivíduos no plano de Deus, que culmina no nascimento de Jesus. E é ao reconhecer que a linhagem passa por dificuldades e tempos sombrios — pelos vales e também pelos topos das montanhas — e, ainda assim, Deus estava realizando seus propósitos dia após dia e geração após geração. A linha que liga Abraão a Davi e Jesus Cristo pode parecer tênue, mas Deus garantiu que ele nunca fosse rompida.

De maneira semelhante, Marcos, ao longo de seu Evangelho, estende uma mão para os profetas que apontaram para aquele que ainda estava por vir. "Conforme está escrito na profecia de Isaías", diz Marcos em sua segunda frase (Marcos 1.2). E (tendo pulado os eventos do primeiro Natal) a primeira aparição de Jesus que Marcos registra é a de Jesus já adulto, e as primeiras palavras que Jesus diz no Evangelho de Marcos são: "O tempo está cumprido, e o reino de Deus está próximo" (Marcos 1.15). Os discípulos de Jesus tiveram o privilégio de testemunhar o que os profetas e os reis ansiavam por ver — um privilégio que ainda hoje continua através da obra iluminadora da Palavra de Deus.

O Novo Testamento nos mostra que os meios pelos quais as promessas de Deus são cumpridas e a totalidade do plano que Deus elaborou ao longo do Antigo Testamento podem ser resumidos em duas palavras: *Jesus Cristo*. Deus fez suas promessas a Israel usando terminologia e categorias que eles entendiam — palavras como "nação" e "templo". A vinda de Cristo redefiniu os conceitos do Antigo Testamento à luz do Evangelho: descobrimos que as profecias do Antigo Testamento são todas cumpridas cristologicamente — pela pessoa de Cristo. Portanto, por exemplo, em vez de procurar um novo templo no estado de Israel, nos encontramos com Deus por meio de seu Filho, o Senhor Jesus; desfrutamos de sua presença em cada um de nós por meio de seu Espírito; e olhamos para a realidade do reinado de Cristo para transformar nossas vidas agora e para sempre. A vinda do Filho de Deus rompe os limites das categorias do Antigo Testamento. Cristo é o cumprimento perfeito de todas as promessas de Deus e a realidade de todas as grandes garantias de Deus.

Então não esperamos mais para ver como Deus cumprirá cada uma das suas promessas. Sabemos agora que cada uma foi, é e sempre será cumprida por meio de Cristo. Ele prometeu estar conosco, trabalhar por nós e por meio de nós, nos levando a um reino eterno de perfeição. Há momentos em que é difícil nos agarrarmos a essas promessas. Quando esses momentos chegam, olhamos para o Deus que está sempre trabalhando, nos vales mais escuros de nossas vidas, bem como nos topos das colinas mais ensolaradas, e confiamos que, embora não possamos ver agora, um dia perceberemos como ele estava trabalhando para o nosso bem e para a sua glória. Olhamos para trás, para um homem nascido da linhagem de Abraão e Davi, concebido pelo Espírito, que foi capaz de anunciar que o tempo do cumprimento havia chegado e que o reino de Deus estava próximo, e que foi pendurado na cruz e ressuscitou do túmulo para que isso acontecesse.

Para reflexão:

Qual das promessas de Deus você acha mais difícil de acreditar que ele está cumprindo ou irá cumprir? Como os eventos do primeiro Natal podem lhe dar mais confiança em Deus para cumprir essas promessas?

Pois um menino nos nasceu,
Um Filho nos foi dado,
E o governo estará sobre os seus ombros:
E o seu nome será chamado
Maravilhoso, Conselheiro,
O Deus Poderoso,
O Pai Eterno,
O Príncipe da Paz.

"Porque um menino nos nasceu"
O Messias: Parte I, Movimento 12
George Frederick Handel

12. MARAVILHAMENTO E MISTÉRIO

Eis que conceberás e darás à luz um filho, a quem chamarás pelo nome de Jesus (...) Então, disse Maria ao anjo: Como será isto, pois não tenho relação com homem algum? Respondeu-lhe o anjo: Descerá sobre ti o Espírito Santo, e o poder do Altíssimo te envolverá com a sua sombra; por isso, também o ente santo que há de nascer será chamado Filho de Deus.

(LUCAS 1.31, 34-35)

Não são as circunstâncias do *nascimento* de Jesus que são mais notáveis, mas sim as circunstâncias de sua concepção. Quando o anjo anunciou que, embora fosse virgem, Maria teria um filho que governaria o universo inteiro, ela simplesmente fez a pergunta sensata: "Como?" E com essa pergunta, chegamos ao cerne da história do Natal — e da história do cristianismo.

Como essa criança deveria ser concebida? Deus ia fazer isso acontecer. Ele faria isso. A expressão que fala de ser encoberto com a sombra ressoa com a presença divina de Deus sendo simbolizada aos israelitas por uma grande nuvem (Êxodo 40.34-38). A concepção, em outras palavras, seria sobrenatural — capaz de ser realizada somente por Deus. E aquele que nasceria era ele mesmo sobrenatural — o santo Filho de Deus.

Os primeiros cristãos estudaram as Escrituras cuidadosamente enquanto elaboravam as implicações da encarnação para descrever fiel e verdadeiramente aquele que foi concebido pelo Espírito no ventre de Maria. E assim eles chegaram à formulação que nos foi transmitida nos primeiros credos. Nossos antepassados espirituais identificaram a maravilha da encarnação, curvaram-se diante do seu mistério e afirmaram que Jesus era, e continua sendo, plenamente Deus e plenamente homem. Vale a pena refletir e se deleitar com a síntese que eles fizeram do mistério da encarnação:

> Creio em… um Senhor Jesus Cristo,
> o unigênito Filho de Deus,
> gerado pelo Pai antes de todos os séculos,
> Deus de Deus,
> Luz de Luz,
> Verdadeiro Deus de Verdadeiro Deus,
> gerado não feito,

de uma só substância com o Pai.
Pelo qual todas as coisas foram feitas.
O qual por nós homens e por nossa salvação,
desceu dos céus, foi feito carne pelo Espírito Santo,
da Virgem Maria, e foi feito homem.
(Credo Niceno, 325 d.C.)

A cada Natal, enfrentamos a tentação de permitir que a familiaridade com o presépio gere complacência e nos cegue para a verdade inspiradora de que, ao olharmos para o bebê na manjedoura de Belém, estamos olhando para o próprio Deus na forma de um servo.

Este Servo tinha uma missão. Ele veio "por nós homens e por nossa salvação". Ele veio "para abrir os olhos dos cegos, para tirar da masmorra os presos, e da prisão os que jazem nas trevas" (Isaías 42.7).

Durante o ministério terreno de Jesus, ele fez uma ilustração maravilhosa disso ao conceder cura aos fisicamente cegos. A maior necessidade, contudo, não era a visão física, mas a visão espiritual. Ele veio para abrir os olhos de homens e mulheres que estavam cegos para a verdade de Deus.

O Deus-Homem também veio para libertar os cativos de sua escravidão. Muitos de nós sentimos o cativeiro da nossa culpa, tentando inúmeras soluções esperadas para resistir ao pecado e escapar de suas consequências. Mas nada funciona, exceto Jesus. Ele rompe nossas correntes e nos liberta. Antes escravos do pecado, agora fomos resgatados. Nosso Salvador liberta da masmorra aqueles que estão na escuridão, se apenas eles virem sua luz.

A história do servo não é uma história sobre o que devemos fazer, mas sobre o que Jesus fez. Ele desceu na escuridão, desceu na nossa escravidão, desceu na nossa cegueira e disse: *Você falhou e infringiu a lei e é totalmente incapaz de corrigir sua condição. Mas eu salvo pecadores. Eu abro os olhos cegos. Eu liberto cativos. Eu trago luz. Eu fiz tudo o que era necessário para você. Volte-se para mim com fé simples e confiança como a de uma criança e você verá. Você será livre e sua escuridão dará lugar à luz do sol.*

O primeiro Natal declara que Deus intervém sobrenaturalmente nos assuntos deste mundo para realizar seus bons propósitos. A conversão de cada cristão declara a mesma grande verdade. É necessária uma intervenção sobrenatural de Deus na vida dos indivíduos para levá-los à fé salvadora, assim como Deus soberanamente realizou um milagre no ventre de Maria para nos trazer o Salvador. Jesus disse a Nicodemos, o líder religioso, que a menos que alguém nasça do alto — um nascimento realizado por Deus por meio do Espírito Santo — não verá o reino de Deus (João 3.3). Se fomos salvos, é somente porque Deus o fez. Não fizemos mais para nos libertar do cativeiro do pecado do que Maria fez para conceber o nosso Salvador. O "como?" da salvação é sempre respondido apenas por "Deus fez isso".

Então, curve-se hoje diante do maravilhamento e do mistério proporcionado pelo Deus que se fez carne. E curve-se hoje diante do maravilhamento e do mistério de Deus abrindo seus olhos para a sua necessidade do Filho como seu Salvador. Pois essa história, não menos que a concepção do Filho de Deus no ventre de uma virgem, é obra sobrenatural de Deus.

Para reflexão:

Reflita sobre sua própria conversão à fé em Cristo. Como isso motiva você a adorar e agradecer a Deus? E como isso motiva você a compartilhar Cristo com as pessoas ao seu redor?

Quem é esse menino, deitado a descansar,
No colo de Maria está dormindo,

A quem os anjos saúdam com doces hinos,
Enquanto os pastores vigiam?
Esse é nosso Cristo, o Rei,
A quem os pastores guardam e os anjos cantam:
Apressai-vos, apressai-vos a trazerem-lhe louvor,
O Filho de Maria, Jesus, nosso Salvador!

Por que jaz ele em tal estado assim,
Onde o boi e o jumento se alimentam?
Bom cristão, tema: pelos pecadores aqui,
A Palavra silenciosa está clamando.
Esse é nosso Cristo, o Rei,
A quem os pastores guardam e os anjos cantam:
Apressai-vos, apressai-vos a trazerem-lhe louvor,
O Filho de Maria, Jesus, nosso Salvador!

Pois tragam-lhe incenso, ouro e mirra,
Venham, o camponês e o rei.
Com seus corações perante o autor da vida;
Pois só traz a salvação o Rei dos reis.
Esse é nosso Cristo, o Rei,
A quem os pastores guardam e os anjos cantam:
Apressai-vos, apressai-vos a trazerem-lhe louvor,
O Filho de Maria, Jesus, nosso Salvador!

"Quem é esse menino?"
William Chatterton Dix

13. QUÃO DOCE É O NOME

José, filho de Davi, não temas receber Maria, tua mulher, porque o que nela foi gerado é do Espírito Santo. Ela dará à luz um filho e lhe porás o nome de Jesus, porque ele salvará o seu povo dos pecados deles.

(MATEUS 1.20-21)

A criança no âmago do primeiro Natal tem muitos nomes gloriosos: Rei, Criador, Senhor, Juiz, Filho de Deus, Filho de Davi, Mestre, o Eu Sou, o Primeiro e o Último, e assim por diante. Mas o anjo ordenou a José que um nome muito específico lhe fosse dado em seu nascimento — e vale a pena perguntar qual foi a intenção de Deus por trás dessa escolha. Por que "Jesus"?

O nome em si não era um nome incomum. É a versão grega do nome hebraico do Antigo Testamento Josué, ou *Yeshua*, que traduzido de forma simples significa "O Senhor salva". Portanto, de todos os nomes gloriosos que ele poderia ter recebido, o nome que marcaria o Filho de Deus encarnado seria um lembrete consistente de que, nele, Deus está realizando uma obra salvadora. Ele deveria ser chamado assim, disse o anjo, "porque ele salvará seu povo dos pecados deles". Como Pedro proclamaria mais tarde: "E não há salvação em nenhum outro; porque abaixo do céu não existe nenhum outro nome, dado entre os homens, pelo qual importa que sejamos salvos" (Atos 4.12).

Este é um nome precioso, mas muitos o tratam como periférico ou até mesmo profano. Muitas pessoas não têm interesse no nome "Jesus", exceto talvez como um xingamento. Muitos sentem que suas vidas são ocupadas demais para pensar nas implicações do nome dele, por isso Jesus acaba sendo deixado de lado. Outros ainda estão perdidos em seu desejo de ter uma mente aberta: abraçar toda e qualquer visão do divino como válida. Mas, no processo, suas mentes abertas fecharam seus corações para a crença no Deus que realmente veio do céu para salvar as pessoas na Terra. Eles acreditam que Jesus pode ser um exemplo, um conselheiro e uma inspiração, mas que ele não é o verdadeiro Filho de Deus que veio para salvar pessoas reais de seus pecados reais. Isso pode parecer honroso, mas nega o próprio significado do nome de Jesus.

É fácil para nós, que temos o nome de cristãos — o tipo de pessoa que lê um devocional durante o Advento — balançar a cabeça diante de tudo isso. Mas também devemos nos confrontar, pois os cristãos professos não estão imunes ao perigo de profanar o nome de Jesus. Rotinas religiosas piedosas que carecem da substância da fé no Senhor ressuscitado minam a realidade da qual seu nome fala. Chamar-nos de cristãos se nossas vidas não foram transformadas e se não temos consciência íntima de Jesus é tomar seu nome em vão (Êxodo 20.7). Ser cristão não é simplesmente praticar as boas obras e cerimônias religiosas que a Bíblia prescreve e evitar as ações que ela proíbe. É, antes, estar unido a Cristo pela graça por meio da fé — conhecê-lo e confiar nele.

Talvez esta época de Natal proporcione um momento útil para fazer uma pausa e nos perguntarmos honestamente: "O que o nome Jesus significa para mim?" Se você foi confrontado com seu pecado e passou a crer que Jesus é seu Salvador, nenhum nome será mais precioso para você do que o dele. Pode ter havido um tempo em que você o manteve à distância ou pensou que poderia se salvar por meio de boas obras, mas não agora. O nome, a pessoa e a obra de Jesus lhes são queridos, pois você se aproximou dele e experimentou sua compaixão, bondade e misericórdia.

Jesus será tudo ou nada para nós neste Natal. Mas se o conhecemos como nosso Salvador, então quão doce seu nome soa para nós! Este é o nome que nos assegura o perdão e o futuro; que nos consola em nossas perdas e fragilidades; que nos dá alegria nos altos e baixos da vida diária; que acalma nossa alma quando os problemas chegam:

Quão doce o nome de Jesus ressoa ao que crê!
Temor e pranto vem tirar, alívio conceder.[1]

Sim, Jesus nasceu em uma manjedoura em Belém para que pudesse, como o anjo disse a José, "salvar seu povo dos pecados deles", restaurando-lhes a paz com Deus e dando-lhes a promessa de vida eterna com ele. O nome dado ao Filho de Deus encarnado foi significativo. Antes de deixar este livro de lado para seguir com o seu dia ou ir dormir, por que não tirar alguns minutos para refletir sobre o nome "Jesus" — para considerar o quão precioso esse nome é para você e descansar na certeza de que você se alegrará em seu nome para sempre, quando estiver na glória e o vir face a face?

Para reflexão:

O que o nome Jesus significa para você?

1 John Newton, "How Sweet the Name of Jesus Sounds" (1779).

Quão doce o nome de Jesus ressoa ao que crê!
Temor e pranto vem tirar, alívio conceder.

A cura ao espírito dá,
Ao peito em opressão;
Sacia a alma com maná,
Dá paz ao coração.

Jesus, Amigo, Salvador,
Profeta, Rei, Senhor,
Pastor, Caminho, Vida, Fim,
Recebe aqui louvor.

É débil nosso coração
E frio o sentir;
Mas ao te vermos vamos dar
Louvor mais digno a ti.

Queremos teu amor louvar
Até o fôlego findar,
E triunfar no nome que
A morte vem tragar.

"Quão doce o nome de Jesus ressoa ao que crê"
John Newton

14. UMA HISTÓRIA SOBRENATURAL

Naqueles dias, foi publicado um decreto de César Augusto, convocando toda a população do império para recensear-se. Este, o primeiro recenseamento, foi feito quando Quirino era governador da Síria. Todos iam alistar-se, cada um à sua própria cidade. José também subiu da Galileia, da cidade de Nazaré, para a Judeia, à cidade de Davi, chamada Belém, por ser ele da casa e família de Davi, a fim de alistar-se com Maria, sua esposa, que estava grávida. Estando eles ali, aconteceu completarem-se-lhe os dias.

(LUCAS 2.1-6)

No primeiro capítulo do Evangelho de Lucas, assim que o autor se apresenta como um historiador detalhista, somos imediatamente conduzidos a um ambiente repleto de ocorrências sobrenaturais. A história do nascimento de Jesus é repleta de anjos, previsões e milagres — e quando Lucas relata esses eventos, ele não os apresenta como histórias imaginativas ou especulações poéticas, mas como eventos reais: como história.

Hoje em dia, está na moda buscar a verdade, mas é um tabu dizer que a encontramos. Nossa cultura nos faz acreditar que, embora seja aceitável oferecer um conceito ou uma ideia, não devemos dizer que temos certeza. Lucas era diferente. Ele não estava satisfeito com nada menos do que saber com certeza — para si mesmo e para os outros.

É por isso que, em meio aos acontecimentos sobrenaturais, Lucas nos fornece observações políticas, sociais, geográficas e históricas. Elas podem parecer bem banais, mas todas são importantes. Estamos vendo que todos esses eventos ocorreram em tempo histórico real. Embora as pessoas naquela época não tivessem Google ou mídias sociais, elas saberiam quem havia servido como governador e quando. Eles poderiam ter ido ao arquivo público e procurado o nome de José. O escritor do Evangelho não estava fornecendo uma filosofia, uma ideia ou mesmo uma religião. Lucas, com cada palavra e cada detalhe, deixou bem claro que a história de Jesus não existe em um vácuo.

Os historiadores do primeiro e segundo séculos não tinham dúvidas quanto à realidade de Jesus. Tácito, um historiador romano que escreveu no início do século II, não tinha interesse em apoiar as alegações de Cristo, mas estava absolutamente convencido de que Jesus não era mitológico.[1] Josefo, um historiador judeu que escreveu em 93 d.C., afirmou o fato de

1 Tácito, *Anais*, 15.44.

que a vida, a morte e a ressurreição de Jesus foram proclamadas por seus seguidores.[2]

A questão é esta: quando lemos que Maria colocou seu filho primogênito em uma manjedoura, ela de fato fez isso. Quando lemos que o menino que ela deu à luz foi concebido pelo poder do Espírito Santo, ele realmente foi concebido assim. Esses elementos sobrenaturais são uma parte intrínseca do relato do Evangelho, e a inclusão dos detalhes históricos por Lucas serve para enfatizar sua afirmação de que seu Evangelho pertence à seção de história, não à estante de ficção.

Em toda época de Natal, aparecem artigos em jornais e revistas que removem o elemento milagroso e prometem revelar a história "real" do primeiro Natal. Mas isso é impossível. Sem o sobrenatural, não há Natal e não há Evangelho. A história do Evangelho de Lucas é sobrenatural em sua totalidade, e não apenas em seu começo, porque é a história do Criador do universo entrando no tempo, revelando-se como Salvador e Rci. Certamente seria mais bizarro se o Deus Todo-Poderoso não entrasse e saísse do mundo de maneiras totalmente

2 Josefo, *A História dos hebreus*, 18.3.3.

sobrenaturais que fariam meros mortais coçarem a cabeça de espanto! De fato, em cada um dos incidentes sobrenaturais registrados por Lucas, encontramos pessoas fiéis que refletiram nas Escrituras e estavam ansiosamente esperando que Deus irrompesse em seu ambiente de uma forma que nunca havia acontecido antes e nunca mais aconteceria. Quando Deus veio, essas eram as pessoas que estavam prontas para que em sua vinda fizesse o que somente ele poderia fazer; essas eram as pessoas que responderam cheias de fé e admiração, com jubiloso maravilhamento.

O cristianismo é, em última análise, sem sentido sem a intervenção milagrosa e onipotente de Deus no tempo. Deus veio ao nosso encontro e ele não veio às bibliotecas ou salas de aula — àqueles que descobrem o que é humanamente possível ou plausível. Ele também não chegou aos corredores do poder político ou ao palácio do Imperador Augusto. Ele veio nos encontrar em um estábulo em Belém. Ele veio ao nosso encontro numa cruz romana no Calvário. E, mesmo agora, ele nos encontra por meio do seu Espírito Santo. Ele trabalha de maneiras que não podemos explicar nem prever. Como consideramos há dois dias, o Natal nos mostra que Deus está envolvido de maneira sobrenatural em seu mundo. Vale a pena repetir isso porque vai contra a essência da nossa cultura, que tende a negar o sobrenatural e a condenar qualquer um que tenha certeza sobre o que é transcendente. Mas tanto a concepção virginal quanto a ressurreição do túmulo nos falam da realidade da atividade inexplicável de Deus e da possibilidade de certeza sobre quem ele é e o que ele fez. Na verdade, o orgulho não está em alguém que tem certeza sobre o que não viu e que se baseia no testemunho da Palavra de Deus; o orgulho está em alguém que se recusa a permitir que Deus interfira em sua Criação, com base na incompreensão de sua própria mente sobre como ele fez isso.

O tempo do Advento é um momento maravilhoso para considerar o mistério da obra de Deus na história. Ao fazer isso, nossos corações serão novamente tomados pelo amor sobrenatural do Deus trino por nós, e nossos olhos estarão preparados para ver maneiras surpreendentes nas quais Deus está trabalhando dentro e ao redor de nós — maneiras que não podemos explicar e não previmos, mas amamos desfrutar delas e louvá-lo por elas.

Para reflexão:

Você corre algum risco de viver como se Deus não estivesse agindo sobrenaturalmente hoje?

Que diferença você acha que faria em suas orações, decisões e visão cotidiana, se você se lembrasse de que Deus continua trabalhando em seu mundo?

Longe numa manjedoura, sem berço ele deitou,
O pequeno Senhor Jesus ali repousou;
As estrelas no céu olhavam para ele, tão tenro,
O pequeno Senhor Jesus dormindo ali no feno.

O gado muge, o bebê acorda,
Mas o pequeno Senhor Jesus não chora.
Eu te amo, Senhor Jesus, do céu a me olhar
E fique ao meu lado até o sol raiar.

Esteja perto de mim, Senhor Jesus; te peço,
Fique sempre perto de mim e me ame, te suplico.
Abençoe os pequeninos que carecem de cuidado,
E nos prepare para o céu, onde tu estás exaltado.

"Longe numa manjedoura"
Anônimo

15. VEJA E DIVULGUE

E, ausentando-se deles os anjos para o céu, diziam os pastores uns aos outros: Vamos até Belém e vejamos os acontecimentos que o Senhor nos deu a conhecer. Foram apressadamente e acharam Maria e José e a criança deitada na manjedoura. E, vendo-o, divulgaram o que lhes tinha sido dito a respeito deste menino.

(LUCAS 2.15-17)

Ao longo do seu Evangelho, Lucas deixa claro que, embora as pessoas possam esperar que Deus esteja mais interessado naqueles que têm status, poder ou riqueza, a realidade é muito diferente. Repetidamente, Deus vai atrás dos menores, dos últimos e dos excluídos. Ele trabalha de maneiras e por meio de vidas que muitas vezes nos surpreendem.

Os pastores em Lucas 2 se encaixam perfeitamente nesse caso. Não deveríamos romantizar o pastoreio; tratava-se de uma função difícil e isolada. Não era uma vocação muito requisitada. Naquela primeira noite de Natal, esses pastores estavam "nos campos e guardavam seu rebanho durante as vigílias da noite" (Lucas 2.8). Mas isso não durou. Um anjo apareceu a eles para dar "boas-novas de grande alegria" sobre o nascimento do tão esperado Messias, explicando que eles o encontrariam deitado em uma manjedoura (Lucas 2.9-12).

O Criador do universo... numa manjedoura? Como os pastores puderam acreditar no que ouviram? "Vamos... e vejamos isso que aconteceu e *que o Senhor nos fez saber*." Eles perceberam que tinham vivenciado uma visitação divina — uma mensagem vinda do trono do céu — e prosseguiram com base nisso. E, claro, eles descobriram que o cenário era exatamente como o anjo havia dito.

Esses pastores foram procurar aquele que tinha vindo procurá-los. Eles foram encontrar a morada daquele que havia vindo do céu para habitar com pessoas como eles:

Jesus meu Salvador chegou em Belém,
Nascido em uma manjedoura para tristeza e vergonha;
Oh, foi maravilhoso — bendito seja o seu nome!
Procurando por mim, por mim![1]

Somente os olhos da fé podem crer que um anúncio angelical foi mais do que um sonho, podem decidir ir procurar o

1 "Seeking for Me" (1878), Anônimo.

Messias em uma manjedoura naquela noite, ou podem ler esta história do Evangelho e saber que ela é verdadeira. Por natureza, nossa resposta é dizer: *Não há chance de que a criança que estava naquela manjedoura seja Deus. Não há a mínima chance de que o homem que estava naquela cruz do meio seja o Salvador do mundo.* Somente pela graça e pela fé os sinais que Deus nos revela em sua Palavra e em seu mundo nos introduzirão à curiosidade e à investigação e, finalmente, pelo poder de seu Espírito Santo, à verdadeira crença e ao dom da salvação. Então, se você crê, ajoelhe-se antes de dormir esta noite e agradeça a Deus por ele ter aberto seus olhos cegos, amolecido seu coração duro e incluído você na companhia daqueles com quem ele se agrada.

No primeiro Natal, Deus tomou maravilhosamente a iniciativa em graça e os pastores responderam com fé. Eles creram na mensagem angelical e começaram a procurar ansiosamente a manjedoura. Priorizando sua busca acima de seu sustento e de tudo o que conheciam, eles imediatamente procuraram ver por si mesmos o Redentor do mundo.

Observe, porém, que a fidelidade deles não parou — nem *pôde* parar — quando viram Jesus deitado na manjedoura, exatamente como os anjos haviam prometido. "E, vendo-o, divulgaram o que lhes tinha sido dito a respeito deste menino" (Lucas 2.17). Em outras palavras, eles declararam os fatos que envolviam o que Deus havia revelado e o que eles estavam testemunhando.

Não sabemos exatamente o que os pastores disseram aos outros, mas está claro que eles não resistiram em compartilhar o que Deus havia revelado; não sabemos a quem eles contaram, mas sabemos que aqueles que ouviram ficaram maravilhados (Lucas 2.18). Que ilustração maravilhosa de como devemos responder à mensagem de Deus! A verdadeira fé não nos permite guardar para nós mesmos o desfrute da glória e da revelação de Deus.

A declaração dos pastores se encaixa perfeitamente com a mensagem de todo o Evangelho de Lucas: a salvação para o mundo inteiro é encontrada somente em Jesus Cristo. Essa boa notícia chegou de uma forma improvável a um grupo improvável de pessoas em um cenário improvável. E, no entanto, mais de dois mil anos depois, esta mensagem ainda traz alegria, celebração e transformação às pessoas em todo o mundo. Como nosso Deus é maravilhoso!

Na Igreja da Natividade em Belém, é impossível simplesmente entrar. A porta é muito baixa. Se você quiser entrar no local que representa o nascimento do Senhor Jesus, só há uma maneira de entrar: abaixar-se, curvar-se e ajoelhar-se. Esta é uma bela imagem de como é ir até Jesus e compartilhar sobre ele. Isso nos move a perguntar: *Estou preparado para me humilhar diante de Cristo? Estou disposto, como aqueles pastores, a abrir mão de minhas suposições e planos anteriores para conhecer, seguir e proclamar este Redentor?*

Afinal, o que impede um homem ou uma mulher de responder às notícias do Evangelho como os pastores fizeram? Uma palavra: orgulho. O orgulho teria mantido os pastores nos campos, de posse do anúncio angelical, mas não de um relacionamento com Cristo. O orgulho nos impedirá de ir até Cristo de joelhos. O orgulho nos fará temer a zombaria ou a rejeição e nos impedirá de compartilhar Cristo com aqueles ao nosso redor.

O Natal ganha vida para os humildes. Sejamos aqueles que se curvam, cujos corações assumem uma postura de prostração diante da glória de Deus, e de adoração àquele que primeiro se humilhou ao vir até nós como um Rei-menino. E então sejamos aqueles que "vão contar" onde Deus nos colocou e onde Ele dirige nossos passos.

Para reflexão:

Para quem você vai pregar o Evangelho entre hoje e o dia de Natal? Quais questões de orgulho podem impedi-lo de fazer isso e como você as superará?

Vá contar na montanha,
Sobre as colinas e em todo o lugar;
Vá contar na montanha
Que Jesus Cristo entre nós está.

Enquanto os pastores vigiavam
Os rebanhos na madrugada,
Eis que em todo o céu brilhava
O resplendor da luz sagrada.

Os pastores temeram e tremeram
Quando eis que, acima da terra,
Soou o coro dos anjos.
Isso marcou o nascimento do nosso Salvador.

Em uma simples manjedoura,
O humilde Cristo nasceu,
E Deus nos enviou a salvação
Na bendita manhã de Natal.

Vá contar na montanha,
Sobre as colinas e em todo o lugar;
Vá contar na montanha
Que Jesus Cristo entre nós está.

"Vá contar na montanha"
Anônimo

16. OS SÁBIOS ADORAM

Tendo Jesus nascido em Belém da Judeia, em dias do rei Herodes, eis que vieram uns magos do Oriente a Jerusalém. E perguntavam: Onde está o recém-nascido Rei dos judeus? Porque vimos a sua estrela no Oriente e viemos para adorá-lo (...) Depois de ouvirem o rei, partiram. E, vendo eles a estrela, alegraram-se com grande e intenso júbilo. Entrando na casa, viram o menino com Maria, sua mãe. Prostrando-se, o adoraram.

(MATEUS 2.1-2, 9-10)

Muitas vezes vemos esta cena retratada em cartões de Natal: um grupo de reis magos vindo do oriente em busca do Rei dos Judeus. No entanto, o aparecimento desses homens imediatamente levanta várias questões. Quem eram eles? De onde eles vieram? E por que eles fizeram essa viagem?

A única descrição dada desses visitantes ao recém-nascido Rei Jesus é que eles eram "homens sábios". Eles são chamados de magos em algumas traduções, o que indica que eles estudavam os movimentos das estrelas. Mas eles não eram simplesmente astrônomos ou astrólogos. Em vez disso, eles estudaram o céu noturno e fizeram deduções teológicas com base no que encontraram. Eles eram, em certo sentido, cientistas teológicos. Eles eram almas sérias em busca da verdade e desejavam ver para onde as evidências que descobriram poderiam levar.

E assim chegaram a Jerusalém com uma pergunta: "Onde está aquele que é nascido rei dos judeus?" Eles chegaram à convicção de que um rei importante havia nascido em Judá e viajaram muito para encontrá-lo. Eles eram extremamente sérios sobre descobrir a resposta para sua pergunta. Eles teriam que ser assim para fazer o que fizeram! Supondo que eles vieram da Babilônia (como é possível, embora não possamos ter certeza), sua jornada até Jerusalém teria sido de aproximadamente 1.200 quilômetros. Uma coisa seria sentar e discutir teologia em um bistrô babilônico, mas o que esses homens fizeram é impressionante. Diante de um sinal da atividade de Deus no mundo, eles embarcam em uma árdua jornada em busca da verdade.

O fato de os sábios terem se esforçado para descobrir a verdade a partir do estudo das estrelas nos lembra de que a busca de um indivíduo por Deus pode começar em todos os tipos de lugares. O Deus do universo, em sua graça, usa vários meios e elementos inusitados nas mentes e corações em todas as partes do mundo para levar as pessoas a um lugar: a descoberta do único Deus verdadeiro.

Os três reis magos são um testemunho permanente da realidade do anúncio do profeta Jeremias: "Buscar-me-eis e me achareis quando me buscardes de todo o vosso coração" (Jeremias 29.13).

Quão diferentes desses sábios eram o rei Herodes e os especialistas religiosos judeus. Quando Herodes soube que eles tinham chegado e estavam perguntando sobre o nascimento de um novo rei, reuniu os principais sacerdotes e os escribas, que entenderam que o Cristo deveria nascer "em Belém da Judeia... porque assim está escrito por intermédio do profeta" (Mateus 2.5). Consequentemente ele ficou perturbado.

Este rei era o epítome da hostilidade para com Jesus. Ele representa todos que dizem para si mesmos: *não me importo que uma pessoa religiosa fique sentada quieta no banco do carona da minha vida, mas não quero que ninguém além de mim dirija o carro.* Um líder religioso que fica quieto ou oferece conselhos é aceitável; alguém que faz reivindicações sobre a vida de uma pessoa e não concorda com o que ela pensa já não é. Herodes cauterizou sua consciência em sua tentativa de garantir que não haveria um rei que rivalizasse com ele (Mateus 2.16-18). E, embora o resultado raramente seja tão letal quanto suas ações, muitos fazem isso ainda hoje.

Os especialistas religiosos, por outro lado, eram indiferentes ao seu grande conhecimento. Eles *sabiam* que Miquéias havia profetizado que o Cristo nasceria em Belém, mas simplesmente não se *importavam*. Eles descobriram para Herodes e para os sábios onde as Escrituras diziam que o tão esperado Rei dos judeus nasceria, mas nem sequer tiveram tempo de fazer uma viagem de 10 km para encontrá-lo e adorá-lo. Eles estavam ocupados demais com sua religião para reservar tempo para seu Rei salvador. Esses especialistas religiosos mostram que saber o que a Palavra de Deus diz não é suficiente. Devemos permitir que ela nos leve a um encontro com o Senhor Jesus.

O que levou esses homens sábios a se curvarem diante do berço de uma criança? Como isso acontece? Somente pelo poder de Deus. E foram eles, e não Herodes ou os sacerdotes, que "se alegraram muito com grande alegria".

Levados pelas Escrituras até Jesus, os sábios fizeram sua maior descoberta; e adorar a Cristo foi a única resposta apropriada. Quando finalmente encontraram Jesus, eles se prostraram, o adoraram e lhe ofereceram presentes. Quando nossos olhos se abrem para a majestade do Rei

Jesus, nos curvamos diante dele com humildade, admiração e reverência.

Presumivelmente, Herodes, decidido a resistir às reivindicações de Deus sobre sua vida, não teria pensado que esses homens do Oriente seriam sábios ao renunciar seu tempo, energia e conforto para estar na presença deste Rei recém-nascido. Da mesma forma, os especialistas religiosos, concentrados em seus próprios estudos da Palavra de Deus, mas recusando-se a chegar àquele a quem cada parte dessa Palavra aponta, certamente teriam zombado desses orientais por darem a essa criança os melhores presentes que tinham. Você conhecerá muitas pessoas que também consideram tolice viver uma vida de maneira integral e sacrificial por Cristo. Mas o próprio Deus os chama de sábios. Adorar aquele que nasceu para governar e salvar você é viver de acordo com a verdade e encontrar grande alegria nesta vida e na próxima. Certamente não poderia haver presente maior.

Para reflexão:

Como isso lhe consola e desafia a considerar a verdade de que Deus diz que uma vida cheia de sabedoria é aquela vivida de maneira integral e sacrificial por Cristo?

Você precisa mudar suas prioridades ou planos de alguma forma?

Três reis magos do Oriente a sós;
Com presentes viemos nós,
Entre montes, campos, fontes
De linda estrela após.

Linda estrela de fulgente luz,
O teu brilho nos conduz,
Luz celeste, rumo oeste,
Guia-nos ao rei Jesus.

Rei, nascido em distante lar,
Ouro trago para te dar,
Rei supremo, dom eterno,
Vem sobre nós reinar.

Ofertar-te incenso me apraz;
Pois incenso a Deus só se traz;
Que comprova a prece nova,
Na adoração veraz.

Eis a mirra de agreste odor,
Respira uma vida de crescente dor;
Do lamento ao suspiro, sangrando até morrer,
Seu sepulcro foi selado, mas não pôde o conter.

Rei glorioso, bendito Deus;
Sacrifício aos pecados meus:
"Aleluia, aleluia!"
Soa na terra e céus.

Linda estrela de fulgente luz,
O teu brilho nos conduz,
Luz celeste, rumo oeste,
Guia-nos ao Rei Jesus.

"Três Reis Magos do Oriente"
John H. Hopkins

17. UMA LUZ NA ESCURIDÃO

A luz resplandece nas trevas, e as trevas não prevaleceram contra ela.
(JOÃO 1.5)

Em sua transmissão de Natal de 1939 para a nação britânica, o rei George VI leu o preâmbulo de um poema de Minnie Louise Haskins:

> *Eu disse ao homem que estava junto ao portão de entrada do ano:*
> *"Dê-me luz para que eu caminhe em segurança rumo ao desconhecido."*
> *E ele respondeu: "Vá para a escuridão e coloque sua mão na Mão de Deus.*
> *Isso será para você melhor que a luz e mais seguro que um caminho conhecido."*[1]

Embora essas palavras tenham sido obviamente e particularmente significativas para o rei e seus súditos em meio a uma guerra crescente com a Alemanha, elas encontrarão eco nos corações e mentes de homens e mulheres de hoje, pois vivemos em uma época de grande incerteza e ansiedade.

---

1 Minnie Louise Haskins, "God Knows" (1912).

E é quando consideramos a escuridão deste mundo que estamos mais prontos para celebrar a mensagem central da época do Natal: a verdadeira luz veio ao mundo (João 1.9). E a luz não é uma filosofia. Não é uma ideologia política. Não é um sentimento ou um conceito. A luz é uma pessoa: Jesus Cristo. Jesus veio para iluminar nosso caminho, nos guiando para fora de um mundo de morte e para uma vida com ele.

Jesus é a luz pela qual podemos enxergar muito melhor do que por meio de qualquer luz que este mundo possa oferecer. Ou, para usar a metáfora de Haskins, ele é a mão de Deus estendida a nós. Como, então, podemos viver pela sua luz em um mundo de escuridão?

Não é normal que ladrões gritem no meio da escuridão do quintal: "Com licença, você poderia ligar as luzes? Estou tentando roubar a sua casa!" Eles são ladrões! Eles fazem seu trabalho no escuro. A pior coisa que pode acontecer a eles seria as luzes se acenderem e revelá-los. Da mesma forma, a Bíblia diz que, longe de Cristo, estamos nas trevas. Não podemos ver a verdade. Não podemos discernir o que é bom. Não podemos ver o pecado como ele é, nem resistir a fazer o que é errado.

O fato é que nossa sociedade está tão acostumada à escuridão que muitas vezes nem percebemos que as luzes estão apagadas. Como escreveu C.S. Lewis, o grande mal é frequentemente "concebido e ordenado... em escritórios limpos, acarpetados, aquecidos e bem iluminados, por homens discretos, de colarinho branco, unhas cortadas e rostos bem barbeados, que não precisam levantar a voz".[2] Se formos capazes de ver a escuridão, perceberemos que ela não está presente apenas nas coisas obviamente ruins que acontecem. Ela está dentro dos nossos corações. É a disposição natural que diz: "Eu mando na minha própria vida." E está profundamente enraizada em todos — mesmo nas pessoas mais "honestas".

No primeiro Natal, quando a luz veio e brilhou em um mundo em trevas, ficou claro o quão escuras as coisas estavam. Herodes odiava a ideia de ter um rei sobre ele porque queria estar no trono, por isso matou crianças para resistir a Jesus. Mais tarde nos Evangelhos, os fariseus rejeitaram o Messias porque eles tinham sua própria maneira de garantir a salvação, e então mataram o próprio Jesus. E dois mil anos depois, ainda querendo ter a palavra final sobre nossas próprias vidas, ainda querendo ser os heróis da nossa história,

2 C. S. Lewis, prefácio de *The Screwtape Letters* (1961).

nós também, por natureza, escolhemos viver na escuridão, apesar de toda a incerteza e caos que ela traz. Nós rejeitamos a mão que nos tirará da escuridão e nos levará para a luz.

Mas a escuridão não vence a luz.

A obra do Espírito de Deus é entrar em nossas vidas e dizer: *Aqui está escuro.* Por natureza, não percebemos que está escuro. No geral, achamos que está tudo bem, porque é tudo o que conhecemos. Mas quando percebemos que está escuro, podemos buscar uma luz. E luz é o que Jesus trouxe e o que o Espírito traz (2 Coríntios 3.17-18; 4.4).

A mensagem de Natal é fundamentalmente esperançosa. Mas se deve ser esperançoso para nós, deve ser mais do que sentimental. A esperança gira em torno do cerne da verdade. Se nos apegarmos à esperança enquanto olhamos para o próximo ano, nossos próprios propósitos para nossas vidas não nos farão muito bem. Não podemos tornar nada verdadeiro acreditando nisso e não podemos tornar nada certo querendo isso. Se quisermos manter a esperança, precisamos ouvir a voz falando em nossos corações e dizendo: Aqui está escuro e nos apontando para "a verdadeira luz", que veio ao mundo.

Então, faça uma pausa agora. O Espírito de Deus está dizendo sobre uma área da sua vida: *Aqui está escuro.* Você precisa andar na luz; você precisa deixar Jesus guiá-lo. Ou talvez esteja olhando para o que o próximo ano pode em termos de ansiedade e medo, e o Espírito de Deus está lhe dizendo: *Coloque sua mão na mão de Jesus e confie que ele o guiará.* Jesus veio ao mundo para nos transformar, guiando-nos para fora da escuridão da falsidade egoísta e para a luz do verdadeiro propósito de Deus: através de muitos perigos, esforços e armadilhas, para a luz gloriosa da presença eterna de Deus. É quando você "coloca sua mão na Mão de Deus" que ele provará ser melhor do que o melhor que este mundo tem a oferecer. Tenha certeza de que a luz que nasceu no Natal ainda brilha na escuridão, escuridão que jamais poderá vencê-la.

Para reflexão:

Ao refletir sobre o parágrafo anterior, o que o Espírito de Deus pode estar lhe dizendo agora?

Eis dos anjos, a harmonia,
Cantam glória ao Rei Jesus.
Paz aos homens! Que alegria!
Paz com Deus em plena luz.
Ouçam, povos exultantes,

Ergam hinos triunfantes
Aclamando o seu Senhor.
Nasce Cristo, o Redentor.
Toda a Terra e os altos céus
Cantem sempre glória a Deus!

Cristo, eternamente honrado,
Do seu trono se ausentou
E entre nós foi humanado,
Deus conosco se mostrou.
Que gloriosa divindade!
Que sublime humanidade!
Salve, glória de Israel,
Luz do mundo, Emanuel!
Toda a Terra e os altos céus
Cantem sempre glória a Deus!

Cante o povo resgatado,
Glória a Deus, Senhor da paz,
Pois, em Cristo revelado,
Vida e luz ao mundo traz.
Nasce, a fim de renascermos.
Vive, para revivermos.
Rei, profeta e salvador!
Louvem todos, o Senhor!
Toda a Terra e os altos céus
Cantem sempre glória a Deus!

"Eis dos anjos, a harmonia"
Charles Wesley

PARTE 4

O NATAL NAS EPÍSTOLAS

18. EU IREI LÁ

Nestes últimos dias [Deus], nos falou pelo Filho, a quem constituiu herdeiro de todas as coisas, pelo qual também fez o universo. Ele, que é o resplendor da glória e a expressão exata do seu Ser, sustentando todas as coisas pela palavra do seu poder, depois de ter feito a purificação dos pecados, assentou-se à direita da Majestade, nas alturas.

(HEBREUS 1.2-3)

Gênesis nos lembra que nosso Deus Criador é um Deus que cumpre promessas. Também nos ensina a esperar que Deus enviaria alguém para restaurar este mundo caído, que esse alguém é um Libertador e que nele todas as nações do mundo serão abençoadas. Os escritos e os profetas nos forneceram uma imagem nublada cheia de esperança, expectativa e detalhes sutis sobre o grande plano de Deus para a redenção. E então os Evangelhos nos dão uma lente cristalina através da qual podemos ver que Jesus é aquele em quem todas as nossas esperanças, todas as promessas de Deus, todos os nossos anseios são cumpridos.

Mas ainda há muito mais a considerar sobre o Natal — nas epístolas do Novo Testamento.

O autor de Hebreus, por exemplo, começa com uma introdução que deve nos levar de volta ao início do Evangelho de João. O Filho de Deus, ele lembra aos seus leitores, falou ao seu povo por meio de sua palavra, é o agente de toda a criação, herda tudo do Pai, é a expressão perfeita da glória de Deus e sustenta o universo por sua palavra poderosa. Como Profeta, não apenas fala as palavras de Deus; Ele é a Palavra de Deus. Como Sacerdote, não somente oferece um sacrifício pelos pecados, mas ele mesmo *é* o sacrifício. Como Rei, não apenas governa seu povo por um período, mas reina em todos os lugares, para sempre. E foi ele quem estava na manjedoura naquele primeiro Natal.

Como observamos em nossas leituras da última semana, os Evangelhos de Mateus e Lucas nos apresentam um elenco de personagens de Natal com os quais nos familiarizamos bastante: Maria, os pastores, os reis magos e assim por diante. Às vezes consideramos aqueles que são menos conhecidos, como Zacarias, Isabel, Ana e Simeão. A cada Natal que passa, provavelmente somos presenteados com sermões e estudos da perspectiva de quase todos os que compõem o elenco natalino. No entanto, há uma exceção notável: surpreendentemente, poucos de nós refletimos sobre o Natal do ponto de vista de Jesus. Hebreus nos oferece uma visão dessa mesma perspectiva. Em Hebreus 10.5-6, o autor escreve: "Por isso, ao entrar no mundo, diz: Sacrifício e oferta não quiseste; antes, um corpo me formaste; não te deleitaste com holocaustos e ofertas pelo pecado."

Assim como o sapato de cristal da Cinderela servia apenas em seu pé, essas palavras que Jesus estava citando do Salmo 40 não serviam em ninguém mais além dele.

Deus estava se preparando para o primeiro Natal ao longo dos séculos do Antigo Testamento, pois todos os sacrifícios do Antigo Testamento eram meras sombras da realidade para a qual apontavam. Esses sacrifícios envolviam a morte de animais que tinham que ser levados até o altar. Estes animais não tiveram escolha; foram simplesmente forçados a servir. Mas antes mesmo de experimentar a humanidade, Jesus sabia que seu papel — seu sacrifício — seria diferente. Ele consentiu de bom grado. Na mais humilde das formas e em um cenário inesperado, o Deus Filho assumiu um corpo que foi preparado para ele — preparado para "o resgate por muitos" (Mateus 20.28).

O Filho olhou para este mundo quebrado e seu povo pecador e disse ao Pai: *Sim, eu irei lá para estar com eles. Eu me tornarei um deles e morrerei por eles.* Ele olhou para nós e disse: *Sim, farei purificação pelos pecados deles.* E seu Pai olhou para ele e disse, de uma maneira que nenhum animal levado ao altar jamais mereceu: "Este é meu Filho amado, em quem me comprazo" (Mateus 17.5). O ato que mais fez despertar o amor do Pai pelo Filho foi a sua oferta voluntária de si mesmo como sacrifício pelos nossos pecados (João 10.17).

Jesus entrou neste mundo não apenas para que pudesse haver um nascimento virginal em Belém, mas para que também pudéssemos experimentar um nascimento virginal de fé em nossas próprias almas. O plano dele não é apenas que o Natal tenha acontecido há muito tempo, mas que o Natal, de certa forma, aconteça hoje. Por meio de seu nascimento, morte, ressurreição e ascensão, ele realizou perfeitamente tudo o que é necessário para que homens e mulheres pecadores experimentem um novo nascimento milagroso e entrem em comunhão com Deus. E depois de fazer isso "assentou-se à direita da Majestade, nas alturas".

Isso é muito diferente da promessa da mera religião, na qual regras e esforços se tornam mecanismos fúteis para tentar subir ao céu. Em contraste, a mensagem da manjedoura é de misericórdia libertadora. De forma maravilhosa, Deus tomou a iniciativa e desceu para nos resgatar por meio de Jesus. Não precisamos fazer uma longa jornada para encontrar Deus, porque Cristo, o Rei recém-nascido, conhecia seu papel. Qual é a resposta correta? Simplesmente curvar-se diante dele humildemente, louvá-lo de todo o coração e esperar por ele com expectativa todos os nossos dias, tendo a certeza disto, porque ele disse: Eu irei lá para estar com eles. Você pode dizer: *Eu irei lá para estar com ele.*

Para reflexão:

Como essas verdades encorajaram seu coração hoje?

Como será para você esperar ansiosamente por Jesus?

Criança na manjedoura,
Menino Jesus;
Pária e estranho,
Senhor de tudo;
Criança que herda
Todas as nossas transgressões,
Todos os nossos deméritos
Sobre ele caia.

Outrora o mais sagrado
Filho da salvação
Gentil e humildemente
Morou entre nós;
Agora como nosso glorioso
Poderoso Redentor,
Veja-o vitorioso
Sobre o inimigo e opressor.

Os profetas o predisseram,
Criança gloriosa;
Os anjos o contemplam
Em seu trono;
Digno é o nosso Salvador
De todo o nosso louvor;
Felizes para sempre
São os seus.

"A criança na manjedoura"
Mary MacDougall MacDonald

19. O DOM DA ADOÇÃO

Vindo, porém, a plenitude do tempo, Deus enviou seu Filho, nascido de mulher, nascido sob a lei, para resgatar os que estavam sob a lei, a fim de que recebêssemos a adoção de filhos. E, porque vós sois filhos, enviou Deus ao nosso coração o Espírito de seu Filho, que clama: Aba, Pai! De sorte que já não és escravo, porém filho; e, sendo filho, também herdeiro por Deus.

(GÁLATAS 4.4-7)

De maneira bem literal, o Natal é tudo sobre família. Mas não principalmente sobre nossas famílias humanas, por mais maravilhoso que seja relembrar as reuniões alegres ao redor da árvore ou da mesa nos natais passados, ou ansiar por estar na mesma sala com vários membros da família neste ano. Não, o Natal é sobre a família de Deus. Todo o propósito de Deus ao enviar seu Filho "a fim de que recebêssemos a adoção de filhos".

Como vimos, Jesus se destaca entre todas as outras figuras da religião, da história e da humanidade porque somente ele possui as qualificações para ser o Salvador do nosso mundo. Sua vinda não é considerada pelo apóstolo Paulo como uma intervenção acidental; ela foi um compromisso divino. Quando Paulo diz que "Deus enviou seu Filho", é um lembrete de que Jesus foi enviado de um estado de existência anterior. A vida de Jesus não começou quando ele "nasceu de uma mulher" como uma criança em Belém; ele é, foi e sempre será. O tempo não pode contê-lo. Sem deixar de ser o que era — ou seja, Deus — ele se tornou o que não era — ou seja, um homem.

Ele "nasceu sob a lei", devendo ao Pai plena e perfeita obediência — o que ele, único entre a grande massa da humanidade ao longo dos tempos, conseguiu alcançar. E morreu em nosso lugar, para nos redimir. Se Deus quisesse salvar, então o Salvador deveria ser Deus. Se o homem deve suportar o castigo porque pecou, então o Salvador deve ser um homem. Se o homem que suporta a punição do pecado deve ser sem pecado, então quem além de Jesus Cristo preenche essas qualificações?

Não havia outro suficientemente bom
Para o preço do pecado pagar;

Só ele consegue destrancar o portão

Do céu e deixar-nos entrar.[1]

Mas Deus não enviou seu Filho simplesmente para nos salvar, por mais glorioso que isso seja. Ele o enviou para nos salvar para que pudesse nos adotar. Isto é ainda mais glorioso, conforme diz Packer: "A adoção é (...) o maior privilégio que o Evangelho oferece (...) Estar em paz com Deus, o Juiz, é uma grande coisa, mas ser amado e cuidado por Deus Pai é algo ainda maior."[2]

No mundo romano, homens ricos ou poderosos às vezes adotavam um menino para ser seu herdeiro. O filho adotivo herdaria tudo dos pais adotivos. Ainda hoje, quando uma criança é adotada, toda a sua vida muda: ela ganha um novo nome, uma nova família, um novo lar e, muitas vezes, um modo de vida totalmente novo.

No entanto, embora tal adoção possa ser legalmente oficial, a legalidade pode existir sem que a criança sinta um verdadeiro senso de pertencimento à família. Muitas vezes, leva tempo para que a experiência subjetiva alcance a realidade objetiva. Uma coisa é uma criança vir morar em um lar; outra realidade

---

1 Cecil Frances Alexander, "There Is a Green Hill Far Away" (1848).

2 J.I. Packer, *Knowing God* (InterVarsity Press UK, 2023), p. 212, 214.

mais profunda é vivenciar e expressar plenamente a união de uma família — chamar os novos pais de "mamãe" e "papai".

A mesma coisa se aplica à nossa adoção espiritual quando professamos fé em Jesus Cristo. Embora nossa adoção mude nossa condição, ela não transforma de maneira completa e imediata o nosso caráter. Felizmente, Deus não se contenta com uma simples mudança de nome. Ele quer que saibamos o que significa ser seus filhos e filhas. Sua vontade é que tenhamos a experiência maravilhosa de pensar nele como nosso Pai celestial. Para fazer isso, ele "enviou o Espírito de seu Filho" para viver em nossos corações, permitindo-nos ver nosso relacionamento com ele como o de filho e Pai.

A experiência cristã não é simplesmente uma transação legal. A salvação não é apenas o perdão dos pecados; é também a acolhida da transformação capacitada pelo Espírito. O que Jesus realizou exteriormente na cruz, o Espírito continua interiormente em nossos corações. Somos resgatados, aceitos, adotados e amados. Com essa mudança, podemos esperar devoção, paixão, lágrimas, iluminação, envolvimento e, por fim, louvor.

Todos nós tendemos a esquecer nosso novo status como filhos de Deus. Quando o fazemos, o Espírito fica esperando para testificar: *Não, você realmente é dele! Você foi comprado pelo maior preço. Você é amado e querido.* Quando não fazemos o que Deus quer que façamos — quando nos sentimos feridos, quebrados e desanimados — o Espírito nos ajuda a clamar: *Ó Pai, tu podes me ajudar, por favor?* Tais apelos devem servir como lembretes da maravilhosa obra consumada de Jesus. "Quando chegou a plenitude dos tempos" ele assumiu a carne para que pudesse ser nosso sacrifício redentor e derramar seu Espírito para viver em nossos corações. Sem Jesus, nossos corações jamais poderiam clamar: "Aba! Pai!" Por causa dele, nossos corações sempre podem fazer esse clamor.

Deus sela nossa adoção como filhos e filhas não por algum sinal ou dom peculiar, mas pelo testemunho persuasivo de seu Espírito. À medida que falamos com Deus em oração, o ouvimos por meio de sua palavra e caminhamos com ele na vida, crescemos na consciência de seu poder e de sua obra dentro de nós. Porque fomos libertos da maldição do pecado e recebemos a bênção da adoção, podemos clamar a Deus, adorando em espírito e em verdade.

Foi por tudo isso que Jesus nasceu no momento certo: Deus enviou seu Filho a este mundo para viver, morrer e ressuscitar, para que você pudesse se tornar seu filho, desfrutando da intimidade e da segurança do relacionamento que Jesus tem com seu Pai. Não importa o que você esteja fazendo hoje, e como esteja se sentindo hoje, você pode saber disso: se você é de Cristo, você é adotado; e se você é adotado, você é amado com um amor divino tão profundo que nem mesmo a eternidade lhe dará tempo suficiente para compreender a profundidade desse amor.

Para reflexão:

Você já considerou que a adoção divina é a maior maravilha do Evangelho?

Que diferença faz para o seu coração saber que você tem um Pai celestial, que o ama profundamente e a quem pertence este mundo?

Contemple, em meio à neve invernal,
Nascido para nós em berço terreno,
Contemple o terno Cordeiro pascal,
Prometido desde anos eternos.

Ó, manhã sempre com bênçãos!
Ó, feliz amanhecer de redenção!
Cantem por toda Jerusalém,
"Cristo nasceu em Belém."

Eis que dentro de uma manjedoura jaz
Aquele que criou os céus estrelados;
Aquele que nas alturas entronizado está,
Entre os querubins, está assentado!

Dizei, santos pastores, dizei,
Quais são as suas boas-novas de hoje?
Por que vocês deixaram suas ovelhas
Na íngreme montanha solitária?

Enquanto observávamos na calada da noite,
Eis que vimos uma luz, quão grande esplendor;
Anjos cantando, Paz na Terra,
Contou-nos sobre o nascimento do Redentor.

Sagrado Menino, todo divino,
Que terno amor era o teu,
Assim, para vir da mais alta bem-aventurança
Até um mundo como este!

Ó, manhã sempre com bênçãos!
Ó, feliz amanhecer de redenção!
Cantem por toda Jerusalém,
"Cristo nasceu em Belém."

"Contemple, em meio à neve invernal"
Edward Caswall

20. ELE SE ESVAZIOU

Tende em vós o mesmo sentimento que houve também em Cristo Jesus, pois ele, subsistindo em forma de Deus, não julgou como usurpação o ser igual a Deus; antes, a si mesmo se esvaziou, assumindo a forma de servo.
(FILIPENSES 2.5-8)

Jesus é eternamente, verdadeiramente e totalmente Deus: "o resplendor da glória de Deus e a expressão exata da sua natureza" — a "forma de Deus" completa e perfeita por toda a eternidade passada (Hebreus 1.3).

Essa realidade torna o que Paulo escreve aqui em Filipenses 2 ainda mais surpreendente.

Jesus — este divino Filho de Deus pré-encarnado — "não julgou como usurpação o ser igual a Deus; antes, a si mesmo se esvaziou". Em outras palavras, em vez de se apegar à sua própria glória ininterrupta, ele escolheu deixá-la de lado e, embora não tivesse obrigação de fazê-lo, veio ao nosso mundo caído e indefeso — e o fez em nosso favor. Ele se esvaziou, tornando-se servo de sua própria criação. O sinal do Menino Jesus naquele primeiro Natal não foi uma carruagem, mas uma manjedoura; não foi um cetro, mas um estábulo. Ele se tornou tanto um servo terreno quanto havia sido (e é) um soberano celestial. Ao que tudo indica, ele não passava de um simples homem.

O que significa — e o que não significa — dizer que Jesus "se esvaziou"? Bem, isso não pode significar que Jesus deixou de ser Deus, ou desistiu de alguns de seus atributos divinos, porque Mateus nos diz em seu Evangelho que o nascimento de Jesus "aconteceu para se cumprir o que o Senhor havia dito pelo profeta: 'Eis que a virgem conceberá e dará à luz um filho, e ele será chamado pelo nome de Emanuel' (que significa, Deus conosco)" (Mateus 1.22-23). Embora ele "tenha se esvaziado", Jesus ainda era completamente "Deus conosco"! Ele não era alguém que *parecia* ser Deus conosco; Jesus *realmente era* Deus conosco.

Então o que Paulo *quer* dizer? "Esvaziou-se" não é o fim da frase, e as duas palavras seguintes descrevem outro aspecto da mesma ação: Jesus "se esvaziou, assumindo (...)" o "esvaziar" e o "assumindo" estão ligados. Alec Motyer, que foi um estudioso maravilhoso e um bom amigo meu, certa vez sugeriu que é mais útil perguntar: "Em que ele se esvaziou?" do que "Do que ele se esvaziou?" Fazer a pergunta dessa primeira maneira nos permite ver que foi o que o Senhor Jesus *tomou para si* que o humilhou, não o que ele *deixou de lado*. Foi ao tomar para si *a humanidade* que ele se tornou nada.

Agora, nenhum de nós conhece a mente de Deus, e não há nenhuma ilustração ou analogia que possa realmente nos ajudar a compreender o que ele fez, mas pense nisso: se você fosse Deus, nascesse por meio de um parto natural, da maneira como Jesus nasceu, vivesse como um pária, morresse como um estranho, suportasse o abuso e a maldição final da lei... isso soaria muito como se tornar "nada".

Jesus comeu, bebeu, trabalhou, dormiu, descansou — assim como todo mundo. Contudo, embora ele fosse "semelhante aos homens", Jesus não era *meramente* o que aparentava ser. Havia algo mais nele. Ele provou sua humanidade desde seu nascimento até sua morte. Mas ele também provou sua divindade durante aqueles mesmos dias. Pense em como ele pôde controlar o vento e as ondas por meio de sua palavra. Pense em como ele trouxe os mortos de volta à vida.

No coração do Natal está a verdade de que Jesus é totalmente Deus e totalmente homem. E assim devemos evitar dois perigos iguais e opostos. Alguns de nós corremos o risco de deificar Cristo a ponto de não termos mais um Cristo humano. Outros de nós estamos tão preocupados com sua humanidade que podemos perder de vista sua divindade. As Escrituras, no entanto, mantêm ambas em perfeita tensão. E é quando fazemos o mesmo que somos levados a nos maravilhar com esse Deus, que se tornaria "nada" ao se tornar uma criatura — ao assumir um corpo humano.

Quando o grande teólogo do século V, Agostinho de Hipona, foi questionado: "Quais são os princípios centrais da vida cristã?". Ele respondeu (e estou parafraseando um pouco): "O número um é a humildade, o número dois é a humildade e o número três é a humildade."[1] No âmago de Filipenses 2 está um apelo à humildade. O apóstolo Paulo aponta para Cristo encarnado como o ápice da humildade, e então ele essencialmente diz: Sua atitude deve ser a atitude do Natal. Jesus não abordou a encarnação perguntando: O que eu ganho com isso? Mas sim: *O que eles precisam que eu*

1 Agostinho, *Carta 118*, trad. Wilfrid Parsons, FOTC 18 (The Catholic University of America Press, 1953), p. 282.

faça por eles? Ele se aproximou da encarnação dizendo: *Porque eles importam tanto para mim, viverei como se não importasse. Eu darei a minha vida por eles.*

Aquele que era alguém se tornou ninguém para que nós, que não somos ninguém, pudéssemos nos tornar alguém em Cristo. Jesus nunca deve ser menos que nosso Salvador, mas ele também é nosso exemplo. O que a igreja requer — o que este mundo requer — não é que busquemos ser alguém, mas que aceitemos ser ninguém que crucificou seus egos e encontrou sua nova identidade somente em Cristo. Aqui está o nosso Deus — aquele que se tornou servo pelo bem de outros. Somos chamados a nos maravilhar com essa verdade e a fazer o mesmo.

Para reflexão:

Você tende a se concentrar muito pouco na divindade de Jesus ou em sua humanidade? Que diferença um foco maior pode fazer no seu relacionamento com Jesus?

Como a leitura de hoje moldará a maneira como você vê o serviço aos outros?

Era uma vez, na cidade real de Davi,
Havia um humilde estábulo,
Onde uma mãe colocou seu bebê
Em uma manjedoura ali deitado:
Maria, essa mãe servil,
Jesus Cristo, seu filhinho amado.

Ele desceu do céu à Terra.
Ele é Deus e Senhor de todos,
E seu abrigo era uma cocheira,
E seu berço era uma estrebaria:
Com os pobres, os mansos e os humildes,
Viveu na terra o nosso santo Salvador.

E nossos olhos o verão, enfim,
Por meio de seu próprio amor redentor;
Pois aquele bebê tão querido e gentil
É nosso Senhor no céu exaltado,
E ele conduz seus filhos
Ao lugar de onde vem seu reinado.

Não naquele pobre e humilde lugar,
Com os bois ao lado,
Nós o veremos, mas no céu,
Nas alturas, à destra de Deus;
Como estrelas, seus filhos coroados
Com vestes alvas, que dia esperado!

"Era uma vez, na cidade real de Davi"
Cecil Frances Alexander

21. O NATAL EM ONZE PALAVRAS

A graça de Deus se manifestou salvadora
a todos os homens.
(TITO 2.11)

A história do Natal — a história de Jesus — é a mais linda que o mundo já teve o privilégio de ouvir. Certamente, é em parte por causa de sua maravilha e beleza que cerca de um terço da população mundial vai, pelo menos, prestar alguma atenção à essa história nos próximos dias. No entanto, muitos ao redor do mundo não ouviram o nome de Jesus e a mensagem do Evangelho; muitos não acreditam que o Jesus da narrativa do Natal seja realmente o Jesus da história; e muitos pensam que ele é apenas um caminho entre muitos a seguir ou que existe um caminho melhor.

Se quisermos estar bem equipados para contar aos outros sobre Jesus, precisamos saber do que realmente se trata a história do Natal. Às vezes, temos dez minutos para explicar o Evangelho a um vizinho ou membro da família durante o período de Natal. Outras vezes, porém, não temos mais do que dez segundos. E Paulo resume de forma útil a glória da história do Natal em onze palavras em sua carta a Tito: "A graça de Deus se manifestou salvadora a todos os homens." A palavra grega para "manifestou" é *epephánē*, que é a raiz etimológica do termo "epifania". *Houve uma epifania,* diz Paulo, *e foi o próprio Deus que graciosamente se manifestou para trazer a salvação.*

A graça de Deus — sua bondade imerecida — se manifestou quando Jesus nasceu como Salvador, porque este é um mundo que precisa de salvação. Ele apareceu não por causa do nosso grande desempenho, mas por causa da nossa grande necessidade. Mesmo naquela primeira noite, enquanto o menino Jesus dormia na manjedoura, a sombra da cruz já estava projetada sobre o berço.

Jesus era um homem com uma missão. Ele foi a ponte sobre as águas turbulentas da nossa alienação, vazio, rebelião e indiferença. A história do Natal é uma ótima história porque é a história do Evangelho — as boas-novas do que Deus, em sua imensa e imerecida bondade, fez para salvar seu povo. É uma linda história. Uma história envolvente. E é uma história que transforma vidas. Então, por que nem todo mundo acredita nela?

Na minha experiência, quatro sentimentos comuns impedem homens e mulheres de compreenderem a graça de Deus que se manifestou na vinda do Filho de Deus.

Em primeiro lugar, não somos honestos conosco nem com os outros. Temos tendência a fugir de questões ou preocupações que são mais profundas do que a superfície. Podemos nos fixar em nossa autoestima — queremos ser valorizados, não humilhados — e desafiá-la se tornou uma das grandes heresias sociais de nossa época. Portanto, a ideia de que um indivíduo é, como diz a Bíblia, um rebelde contra o governo de Deus, culpado aos seus olhos e sujeito à condenação não é bem aceita. A salvação só faz sentido se for para pessoas que precisam de resgate, mas isso não condiz com nosso senso moderno de nós mesmos como basicamente bons e fundamentalmente capazes de resolver nossos problemas.

Em segundo lugar, nossa compreensão da tolerância se desvinculou de como a Bíblia a vê. É importante praticar a tolerância, a paciência e o amor para que possamos viver em paz com aqueles que se opõem ao nosso pensamento. Nunca sabemos quando Deus pode usar nossa bondade para atrair alguém para si. Mas é um salto quântico desse tipo de tolerância para a sabedoria contemporânea, que sugere que todas as visões são igualmente válidas e que ninguém pode falar com certeza sobre a verdade ou absolutos morais.

Em terceiro lugar, muitos de nós acreditamos na mentira de que podemos resolver isso. Achamos que podemos trabalhar com Deus como se ele fosse um parceiro de negócios — qualquer sucesso depende de nós dois. Ou achamos que ganharemos seu favor por meio de nossas boas obras — qualquer conquista depende de nós. "A graça de Deus se manifestou" não terá a menor semelhança de significado para aqueles que confiam em seus próprios esforços em vez de sua bondade.

Em quarto lugar, pensamos erroneamente que Deus nos perdoará porque esse é o seu trabalho. Alimentados na época do Natal pelo sentimentalismo e pelo fato de que o Papai Noel sempre vem com presentes, por mais travessa que a criança tenha sido, assumimos a visão (talvez inconscientemente) de que Deus é obrigado a nos amar e nos aceitar. Perdoar é o que ele faz. Mas embora o perdão seja oferecido gratuitamente, ele deve ser recebido. Deus não exige nada além de que aceitemos quem ele é, quem nós somos e quem, portanto, está no comando de nossas vidas — que nos arrependamos. Não podemos receber o perdão se mantivermos nosso legítimo Governante à distância.

É por isso, então, que o Evangelho do Natal é tão maravilhoso e, ao mesmo tempo, tão rejeitado. No entanto, para todos esses quatro grupos há esperança. Temos a alegria e o privilégio de dizer às pessoas ao nosso redor:

> *Há alguém que morreu por você, em parte para lhe mostrar o quanto você vale para ele — um senso de valor que você nunca conseguirá extrair de si mesmo, mas que reside na humildade.*
>
> *Há alguém que disse e provou que ele é "o caminho, a verdade e a vida", trazendo clareza às maiores questões de nossas vidas e, portanto, paz ao tomarmos nossas maiores decisões* (João 14.6).
>
> *Há alguém que disse: "Está consumado", pois completou a obra que somente ele poderia fazer, para que você não precise se perguntar se fez o suficiente para Deus e viver a oscilar entre orgulho e ansiedade* (João 19.30).
>
> *Há alguém que ofereceu perdão a todos — se confessarmos com nossas bocas e crermos em nossos corações que ele é o ressurreto Senhor de tudo, inclusive de nossas vidas* (Romanos 10.9).

Ninguém entenderá a alegria do Natal até entender a necessidade do Natal. A graça de Deus se manifestou salvadora a todos as pessoas. Talvez haja alguém hoje, ou na próxima semana, cuja eternidade possa ser transformada pelos dez segundos que você levará para compartilhar essa verdade de Natal com essa pessoa.

Para reflexão:

Por quem você vai orar para que tenha a oportunidade de compartilhar este resumo de onze palavras do Evangelho com eles nesta semana? Qual dos quatro motivos para rejeitar o Evangelho você acha que essa pessoa provavelmente enfrentará com mais dificuldades e como você pode ajudá-la a refletir sobre isso?

Ó, noite santa de estrelas brilhantes,
O Salvador nessa noite nasceu.
Estava o mundo pecador errante
Até que Cristo, na terra, apareceu.
O mundo vive nova esperança,
Em clara aurora, nova luz se ergueu.
Ajoelhai, ouvi, os anjos cantam:
Jesus nasceu, o Redentor nasceu!
Jesus nasceu, o Redentor nasceu!

Com os corações alegres nos curvamos
Aqui no berço de Cristo Jesus.
Magos também do Oriente aqui chegaram
Guiados por uma estrela de luz.
O grande Rei nascido tão pobre se fez.

Eterno amigo, se revelou a nós,
Cristo é o Senhor e Deus.
A ti nos prostramos e erguemos a voz!
A ti nos prostramos e erguemos a voz!

Ele ensinou: Amai uns aos outros.
A sua lei sobre nós é o amor.
A escravidão que nos trouxe o pecado
Ele esmagou com um grito de dor.
Se rendam, cantai a doce melodia
E todo ser adore, pois és Rei,
Cristo Senhor, o Grande Eterno.
Seu poder e glória para sempre proclamarei!
Seu poder e glória para sempre proclamarei!

"Ó, noite santa"
Placide Cappeau, traduzido por John S. Dwight.

22. O BERÇO E A CRUZ

Nisto consiste o amor: não em que nós tenhamos amado a Deus, mas em que ele nos amou e enviou o seu Filho como propiciação pelos nossos pecados.

(1 JOÃO 4.10)

Por que tantos de nós aguardamos o Natal todos os anos com tanta alegria? Para o crente, a resposta certamente deve estar, acima de tudo, na consciência de que Jesus Cristo veio para tirar os nossos pecados. Se dissermos que Deus demonstrou seu amor por nós na encarnação, isso é exato, mas não é tudo. João não escreveu "Nisto consiste o amor: não em que nós tenhamos amado a Deus, mas em que ele nos amou e enviou seu Filho", apenas para concluir sua frase; ele continuou lembrando-nos de que Deus "enviou seu Filho *como propiciação pelos nossos pecados*". Jesus foi enviado a este mundo para morrer, não apenas para viver — para ir para a cruz, não apenas para deitar na manjedoura. Apoiando-nos no antigo hino "Ó amor que não me deixarás ir" como nosso guia, vamos considerar três conclusões deste versículo bíblico curto, mas teologicamente significativo.[1]

O amor de Deus por nós é, antes de tudo, um amor que toma iniciativa e não nos deixa ir. É algo que nos é graciosamente revelado e descoberto por nós. É um mistério mesmo. Não é algo que podemos criar sozinhos. Não é que fomos enviados ao mundo para tentar interagir com a divindade; não, ao contrário, algo muito mais maravilhoso aconteceu. *João diz que isso é amor, pois Deus tomou a iniciativa em Cristo.* E Deus então nos convida a aceitar seu dom gratuito de salvação.

No livro de Judas, há uma justaposição incrível entre uma exortação para "manter-se no amor de Deus" e um lembrete maravilhoso de que Deus "os guardará de tropeçar e... os apresentará irrepreensíveis diante da sua glória, com grande alegria" (Judas 21, 24). É um lembrete de que um relacionamento amoroso envolve ambos. Se Deus é seu amigo e o abraçou, então ele não o deixará ir. Mas mesmo o abraço mais amoroso é desconfortável se uma das partes estiver lutando contra ele, tentando constantemente se afastar.

Jesus, em certa ocasião, disse sobre seus seguidores: "Eu lhes dou a vida eterna; jamais perecerão, e ninguém as arrebatará

---

1 George Matheson, "O Love That Wilt Not Let Me Go" (1882).

da minha mão" (João 10.28). E poderíamos acrescentar que não somos fortes o suficiente para escapar de sua mão quando ele decidiu nos segurar até o fim. Seu amor não nos deixará ir; foi esse amor que levou o velho fazendeiro escocês a orar diariamente: "Querido Senhor, cuida de mim."

Em segundo lugar, Deus faz brilhar uma "luz que acompanha todo o meu caminho". Muito nas Escrituras tem a ver com luz e escuridão. O apóstolo Paulo descreve clara e incisivamente os cristãos usando a imagem da luz e da escuridão: "Pois, outrora, éreis trevas, porém, agora, sois luz no Senhor" (Efésios 5.8). Ele não diz: "Outrora, vocês *viviam nas* trevas"; mas: "vocês *eram* trevas". Esse é um julgamento e tanto. Por natureza somos escuridão, por isso precisamos que Deus brilhe em nossa escuridão, que nos mostre a extensão de nossa depravação e que nos inunde com sua luz vivificante. E quando esse holofote brilhar, nos tornaremos testemunhos vivos da profecia de Isaías que estudamos algumas semanas atrás: "O povo que andava em trevas viu uma grande luz; aqueles que habitavam numa terra de densas trevas, sobre eles a luz brilhou" (Isaías 9.2). E, como consideramos no dia 7 de dezembro, o próprio Jesus é "a luz dos homens" e aquele que "brilha nas trevas", para que "quem o segue não ande nas trevas, mas tenha a luz da vida" (João 1.4-5; 8.12).

Em terceiro e último lugar, somente Deus concede alegria duradoura que pode "me buscar através da dor". Um dos verdadeiros desafios da comercialização do Natal é que há muitas tentações e incentivos para tentar esconder qualquer sentimento de dor, decepção, arrependimento ou tristeza. Achamos que podemos deixar tudo de lado por enquanto e apenas comer um pouco mais de panetone, tocar alguma música festiva, saborear mais algumas guloseimas ou dançar uma canção de Natal favorita. Dizem-nos que esta é uma época de alegria, sem que nos lembremos de onde essa alegria pode ser encontrada. O problema é que não existe forma de escapismo fácil que possa lidar com a dor que todos nós enfrentamos em algum momento da vida. Há uma razão pela qual Jesus foi "homem de dores e que sabe o que é padecer" — porque esse é o jeito deste mundo caído (Isaías 53.3). Mas essa não foi a única razão, pois foi também para que ele pudesse suportar *nossas* tristezas e sofrimentos, ao carregar *nossos* pecados, para que pudéssemos conhecer a alegria eterna.

É por isso que, repetidamente, notamos que o Natal e a Páscoa — o berço e a cruz — não podem ser compreendidos da maneira correta separadamente. Deus demonstrou seu amor por nós não simplesmente enviando Jesus como um bebê em Belém para que ele pudesse crescer e nos mostrar como viver uma vida boa; ao contrário: "Mas Deus prova o seu próprio amor para conosco pelo fato de ter Cristo morrido por nós, sendo nós ainda pecadores" (Romanos 5.8).

As pressões e a correria da época do Natal muitas vezes trazem à tona o que há de pior em nós. Raro é o homem ou a mulher que diria que não lutou contra a inveja, o engano ou a raiva e não falou palavras amargas, impacientes ou impuras durante dezembro! Mas a Palavra de Deus vem a nós e nos lembra que esta é a razão do Natal: que Jesus nasceu para que pudesse morrer. Aqui está a boa notícia: nisto está o amor: que Cristo apareceu neste mundo para tirar todo e qualquer pecado de vocês. Então hoje, agarre-se a esta mensagem de amor, luz e alegria com renovada gratidão. E que estas palavras sejam o ponto alto da sua época de Natal: "Ele nos amou e enviou seu Filho como propiciação pelos nossos pecados".

Para reflexão:

Como você pode ter certeza de que lembrará desse versículo todos os dias durante o resto de dezembro?

Ó amor, que não me deixarás ir,
Eu descanso minha alma em ti;
Eu devolvo a vida que te devo,
Para que em teus profundos mares, seu fluir
A faça mais rica, mais plena.

Ó luz, que me segues por todo o meu caminho,
Eu entrego meu fôlego vacilante a ti;
Que meu coração possa ser transformado,
Para que, no brilho do seu sol, seu dia
Possa ser mais belo e mais iluminado.

Ó alegria, que me procuras em meio a dor,
Eu não posso fechar meu coração para ti;
Eu sigo o arco-íris através da chuva,
E sinto que a promessa não é vã,
E que a manhã será sem lágrimas.

Ó cruz, que levanta minha cabeça,
Eu não ouso pedir para fugir de ti;
Eu derramo a glória morta da vida,
E, desse chão, irá florescer
A vida que será eterna.

"Ó amor, que não me deixarás ir"
George Matheson

PARTE 5
AGUARDANDO UM NOVO ADVENTO

23. VENHA O TEU REINO

O sétimo anjo tocou a trombeta, e houve no céu grandes vozes, dizendo: O reino do mundo se tornou de nosso Senhor e do seu Cristo, e ele reinará pelos séculos dos séculos.

(APOCALIPSE 11.15)

Em certo sentido, toda a Escritura é tanto uma lição de história quanto uma promessa para o futuro, para que possamos nos tornar como Jesus e glorificá-lo no presente. Muitas vezes foi dito que no Antigo Testamento Jesus é predito, nos Evangelhos ele é revelado, em Atos ele é pregado, nas Epístolas ele é explicado e no livro do Apocalipse ele é esperado. É para esse livro de grande expectativa que nos voltaremos hoje e amanhã.

Quando mergulhamos na história de Abraão em Gênesis, na dedicação do templo por Salomão em 2 Crônicas e nas profecias de Isaías e Miquéias, vimos como cada uma delas apontava para Jesus. Olhamos para histórias e profecias como essas e percebemos que Cristo não é meramente mais um sacerdote para seu povo, mas é o Grande Sumo Sacerdote e Cordeiro sacrificial de Deus; Ele não é meramente mais um profeta, mas a própria Palavra de Deus; e ele não é meramente mais um governante terreno, mas o eterno Rei dos reis e Senhor dos senhores.

Mas entre as profecias e seu cumprimento, o povo de Deus teve que esperar.

Como temos o benefício de ver como Jesus foi o "sim" para todas as promessas e sombras do Antigo Testamento, é fácil esquecer que muitas gerações vieram e se foram durante os quatro séculos de "silêncio" divino do período intertestamentário. Após o ministério profético de Malaquias, o povo de Deus não ouviu mais nada de novo dele e ficou sujeito a uma variedade de governantes estrangeiros. O reino de Israel era uma lembrança distante e uma promessa futura. Havia um remanescente de crentes fiéis que teriam criado suas famílias nos caminhos do Senhor, mas seus filhos e netos certamente ouviram as histórias e profecias e fizeram perguntas como: *Pai, quando o Messias virá?* Ou: *Vovó, você realmente acha que o Senhor enviará ao nosso povo um grande Rei?* Ou: *Tio, como o reino realmente será restaurado?*

Então, quando chegamos ao Novo Testamento — quando João Batista chega antes de Jesus para anunciar que "o reino dos céus está próximo" (Mateus 3.2) — os beneficiários do material previsto e profetizado tiveram que tentar entender o que significaria para Deus estabelecer um reino para seu povo e o que o Rei desse reino faria e seria. Quase sem exceção, quando Jesus começou a falar sobre o reino, as pessoas pensavam nele em termos de revolução política e restauração nacional para Israel. Eles pensaram nisso em termos geográficos e políticos. Eles não conseguiram entender que, em última análise, o que Jesus estava falando era de um reino que não era "deste mundo" ou "do mundo", mas um reino que é antes de tudo espiritual e eterno, em vez de nacional e territorial (João 18.36). O que o Filho de Deus estava fazendo quando entrou neste mundo como um Rei recém-nascido? Ele estava começando a mostrar ao mundo como ele formaria um reino de pessoas de todas as tribos, nações e línguas (Apocalipse 7.9).

Este estabelecimento do reino de Jesus ocorre de três maneiras: o reino já veio, está vindo e virá.

O reino *já chegou* na pessoa e nas obras de Jesus, que anunciou: "O tempo está cumprido, e o reino de Deus está próximo" (Marcos 1.15). O que são os milagres de Jesus senão os emblemas da atividade do Rei em e através de sua criação? Aquele que criou o DNA de cada indivíduo não tem dificuldade em dar visão aos cegos, fazer os coxos andarem ou ressuscitar os mortos.

O reino *está chegando* à medida que o Espírito Santo desperta as almas dos homens e mulheres, os transportando do reino das trevas para o reino da luz. Como isso acontece? Pela proclamação do Evangelho que faz discípulos, assim como Jesus ordenou aos seus primeiros seguidores antes de ascender ao céu (Mateus 28.18-20).

Finalmente, o reino *virá* em algum momento ordenado por Deus e não revelado, quando ele fará novas todas as coisas. A primeira vinda de Jesus viu a vinda do Rei para mostrar o reino e inaugurá-lo; a segunda vinda de Jesus verá a chegada final do seu reino em toda a sua plenitude de glória. É para esse advento que o livro do Apocalipse olha.

Como lemos em Apocalipse 11 sobre o último dos sete toques de trombeta, é como se Deus estivesse falando conosco de um dia futuro para nos lembrar de nossa esperança nesta vida e neste mundo: "O reino do mundo se tornou o reino de nosso Senhor e do seu Cristo, e ele reinará para todo o sempre." Quando olhamos ao redor, ligamos as notícias ou navegamos pelas redes sociais, podemos lembrar que as coisas não serão assim para sempre. Tudo o que está errado será corrigido; e até o melhor desta vida será melhorado! Lembrar que o reino ainda está por vir significa que não devemos nos contentar com o melhor que este mundo tem a oferecer, nem nos desesperar com o pior que este mundo nos reservar. Um dia, tudo isso será engolido pelo reinado glorioso do Senhor Jesus. Esse é o nosso verdadeiro lar e esse será o momento da nossa maior celebração.

Quando pensamos na vinda de Jesus Cristo, fazemos um desserviço aos nossos corações e mentes se pensamos somente na primeira e não na segunda. O Natal não é apenas uma celebração daquilo de que nosso Rei recém-nascido veio à Terra para nos salvar; é uma celebração daquilo *para* o que ele veio nos salvar: a vida eterna com ele em seu reino perfeito. A realeza de Cristo importa. Importava na manjedoura. Ela importa hoje. E importará para sempre.

Para reflexão:

Que diferença faz para nossos sucessos e fracassos, e para nossa resposta às alegrias e tristezas que este mundo traz, saber que...

- o reino chegou, no passado?
- o reino está chegando, no presente?
- o reino virá, no futuro?

Em qual aspecto do reino você quer hoje meditar e se deleitar particularmente?

Bons homens cristãos, alegrem-se
Com coração, alma e voz;
Prestem atenção ao que dizemos:
Jesus Cristo nasceu hoje.
O boi e o jumento se curvam diante dele,
E ele está na manjedoura agora.
Cristo nasceu hoje!
Cristo nasceu hoje!

Bons homens cristãos, alegrem-se
Com coração, alma e voz;
Agora você ouve falar de felicidade sem fim:
Jesus Cristo nasceu para isso!
Ele abriu a porta do céu,
E o homem é abençoado para sempre.
Cristo nasceu para isso!
Cristo nasceu para isso!

Bons homens cristãos, alegrem-se
Com coração, alma e voz;
Agora não precisais temer a sepultura:
Jesus Cristo nasceu para salvar!
Chama a um e chama a todos para ganhar seu salão eterno.
Cristo nasceu para salvar!
Cristo nasceu para salvar!

"Bons homens cristãos, alegrem-se"
Tradução de John M. Neale

24. OLHANDO PARA O FUTURO

Vi novo céu e nova terra, pois o primeiro céu e a primeira terra passaram, e o mar já não existe. Vi também a cidade santa, a nova Jerusalém, que descia do céu, da parte de Deus, ataviada como noiva adornada para o seu esposo. Então, ouvi grande voz vinda do trono, dizendo: Eis o tabernáculo de Deus com os homens (...) E lhes enxugará dos olhos toda lágrima, e a morte já não existirá, já não haverá luto, nem pranto, nem dor, porque as primeiras coisas passaram.

(APOCALIPSE 21.1-4)

"Deus realmente habitará com o homem na terra?" Essa foi a pergunta que Salomão fez em 2 Crônicas 6, como pudemos ver no devocional do dia 6 de dezembro. E do nosso ponto de vista do século XXI, podemos ver como Deus habitou com o homem na Terra — no jardim, no tabernáculo, no templo, na pessoa de Jesus e por meio de seu Espírito. Ele verdadeiramente é Emanuel — Deus conosco.

Ao longo deste período do Advento, temos tentado entender o panorama geral de como a Bíblia se encaixa no que diz respeito ao Natal. E nosso foco hoje, como ontem, é perguntar: *como essa história termina? Como será quando Deus habitar de maneira plena e definitiva com seu povo?*

No início do século V, Agostinho forneceu à igreja o que foi essencialmente a primeira filosofia da história de uma perspectiva cristã. Ele levou 13 anos para escrevê-la, e mesmo mais de 1500 anos depois a obra continua sendo um clássico. Neste livro, *A Cidade de Deus*, ele explica a história em termos de um princípio abrangente: desde a Queda da humanidade até o fim dos tempos, existiram (e existirão) duas cidades rivais, duas sociedades rivais, dois amores rivais. Por nossa natureza, estamos envolvidos na cidade do homem, e somente pela graça de Deus abandonaremos isso e, em vez disso, nos dedicaremos à cidade de Deus. Citando Agostinho, "Duas cidades foram fundadas por dois amores: a terrena pelo amor a si mesmo, até o desprezo de Deus; a celestial pelo amor a Deus, até o desprezo de si mesmo."[1]

1 Agostinho, *The City of God*, trad. Marcus Dods, Cambridge Texts in the History of Political Thought (Cambridge UP, 1998), 14.28.

Essa é uma maneira muito direta de enxergar o mundo. Mas quando você pesquisa as Escrituras e observa o mundo, isso faz sentido. Na cidade de Deus está o povo de Deus. É o lugar de Deus e está sob o seu governo e a sua bênção. A cidade dos homens compreende a sociedade terrena, estabelecida em teimosa independência para com Deus. A primeira está destinada a dominar o mundo. A última, destinada a morrer.

Deus fará este mundo completamente novo. Ele vem preparando isso desde toda a eternidade — e quando ele finalmente fizer isso acontecer, ninguém nem nada poderá estragá-lo. É por isso que o pecado deve ser punido, a justiça deve ser feita e o mal deve ser destruído. É um mundo "no qual habita a justiça" e do qual a injustiça foi rejeitada para sempre (2 Pedro 3.13).

O que lemos em Apocalipse 21.1-4 é um lugar que é fácil de desejar, mas difícil de entender. É um lugar onde não haverá mais choro, nem dor, nem morte — até mesmo a mera perspectiva de dor e perda desaparecerá. Será o paraíso restaurado. Será um novo jardim com uma árvore da vida, mas a árvore do conhecimento do bem e do mal não existirá mais (Apocalipse 2.7; 22.2, 14, 19).

Quando Pedro escreve sobre o segundo advento de Jesus em 2 Pedro 3, ele assegura aos seus leitores que tudo o que foi arruinado no antigo será reparado e embelezado no novo. A palavra "novo" no versículo 13 não se refere ao tempo e à origem, mas à qualidade. O fogo do qual ele fala pode ser visto como um fogo refinador, que derrete o objeto original para que as impurezas possam ser removidas e o que existe possa ser renovado. Em outras palavras, Satanás não terá a satisfação de ver Deus destruindo sua criação. Em vez disso, Deus irá purificá-la. Ele vai transformá-la para que reflita toda a glória e magnificência pretendida para ela o tempo todo.

Tal noção preserva a ideia da "terrenalidade" da Terra. Em certo sentido, precisamos fundamentar essas verdades no fato de que não haverá apenas um novo céu, mas também uma nova terra. Nosso futuro como povo de Deus está aqui, mas é um aqui perfeito. Como Isaías diz sobre o povo redimido de Deus: "Não se fará mal nem dano algum em todo o meu santo monte (isto é, a Nova Jerusalém), porque a terra se encherá do conhecimento do Senhor, como as águas cobrem o mar" (Isaías 11.9).

Uma nova criação virá. Isso é bem claro. Uma nova Jerusalém, "a cidade santa", abrigará aqueles que Deus redimir. E poderemos contemplar um mundo em que "a habitação de Deus é com o homem". Como cristãos, entendemos que Deus andou nesta terra há dois mil anos. Conhecemos a presença de Deus hoje graças à habitação do Espírito Santo, pois a igreja (as pessoas, não os prédios) é o templo de Deus na Terra por enquanto. Mas nosso conhecimento e experiência sobre ele agora são muito limitados. Entretanto, quando ele inaugurar os novos céus e a nova terra, não haverá nenhum lugar especial na nova criação onde a presença de Deus estará concentrada. Não haverá nenhum prédio especial que devamos visitar se quisermos encontrar Deus. Não haverá distância entre Deus e nós. Não haverá templo porque *tudo* será templo (Apocalipse 21.22).

O Novo Testamento termina da mesma forma que o Antigo Testamento: olhando para o futuro com expectativa e confiança. Essa é uma das marcas da realidade cristã. É um dos testes da vibração da nossa fé e da vitalidade espiritual das nossas igrejas. Somos um povo que espera: não esperamos pelo Natal, mas por Cristo.

Então, à medida que mais um tempo do Advento termina, olhe para frente para que você continue a ser atraído pelo que está por vir. Leve a sério o desafio de viver de forma pura diante do olhar de Deus — que você esteja pronto para seu retorno. E fomente uma preocupação dedicada em ver outras pessoas conhecerem e amarem nosso Deus, que desceu no primeiro Natal e certamente está voltando em glória.

Para reflexão:

Que aspecto da nova criação você mais deseja ver? Como isso o move a louvar a Jesus agora e viver para ele hoje?

O que tende a impedi-lo de viver como se Jesus fosse retornar? O que você pode fazer no novo ano para garantir que vai se manter olhando mais para frente do que para baixo?

Ó Amor Divino, a todos superas,
Alegria traz do céu;
Faz de nós simples moradas,
Com mercê que é fiel.
Cristo, pura compaixão és;
Infinito, puro amor;
Salvação és, nos visita,
Em nós entra com fulgor.

Sopra, sopra, teu Espírito
No aflito coração;
Que em ti herdemos tudo,
E achemos paz então.
Faz-nos não amar pecados;
Alfa, Ômega tu és;
Nossos corações liberta,
És princípio, fim da fé.

Poderoso, vem livrar-nos,
Tua vida dá-nos mais;
Dá-nos a presença tua,
Nunca deixes-nos, jamais.
Que sirvamos como queres,
Faz-nos sempre te louvar,
Todo tempo bendizendo,
No amor teu gloriar.

Vem, completa em nós todos
Tua nova criação;
Nos restaura, faz-nos puros,
Faz-nos ver tal salvação.
Transformados pela glória,
Até chegar ao nosso lar;
As coroas te traremos,
Com amor, louvor sem par.

"Ó Amor Divino, a todos superas"
Charles Wesley

DEPOIS DO NATAL
(UMA CURA PARA A TRISTEZA PÓS-NATAL)

A minha alma engrandece ao Senhor,
e o meu espírito se alegrou em Deus, meu Salvador (...)
Encheu de bens os famintos e despediu vazios os ricos.
(LUCAS 1.46-47, 53)

Os poucos dias entre o Natal e o Ano Novo nos ensinam algo profundo sobre os anseios de nossas almas. Na maioria das vezes, o júblio e a alegria do dia de Natal parecem ir e vir num piscar de olhos. Depois de tanta expectativa, podemos sentir como se nos restasse pouco mais do que fitas e embrulhos, limpeza e devoluções. Por que o Natal tem que chegar e passar tão rápido?!

O pastor e teólogo Sinclair Ferguson olha para trás, para sua juventude, e recorda: *Quando eu era criança, o Natal parecia morrer todos os anos na hora de dormir, no dia 25 de dezembro. A expectativa parecia longa; a percepção, muito breve. Eu até tentei embrulhar meus presentes novamente e abri-los na manhã seguinte.*[1]

Para crianças e adultos, a magia desta época de celebração e comoção nunca dura, porque o dia em si apenas nos aponta para o que C. S. Lewis descreveu como a "magia mais profunda de antes do início dos tempos".[2]

Quando a própria mãe de Jesus cantou louvores a Deus enquanto aguardava o nascimento de Cristo, ela proclamou: "Ele encheu de bens os famintos". Esta sempre foi a experiência do povo de Deus: o salmista cantou sobre como o Senhor "dessedentou a alma sequiosa e fartou de bens a alma faminta" (Salmo 107.9). Mas esta não é a experiência de todas as pessoas: sempre houve aqueles que "andaram errantes pelo deserto", de modo que "famintos e sedentos, desfalecia neles a alma" (Salmo 10.4-5). Esta é a nossa condição longe de Cristo: errar sem rumo, "como terra árida, exausta, sem água" (Salmo 63.1). Sem ele, o alívio está fora de alcance, e o consolo e o conforto não são nada mais do que um sonho distante.

1 Sinclair B. Ferguson, *Child in the Manger: The True Meaning of Christmas* (Carlisle, Pennsylvania: Banner of Truth, 2015), p. 41.
2 C. S. Lewis, *The Lion, the Witch and the Wardrobe* (1950), Capítulo 15.

Não existe uma pessoa viva que não tenha sentido a pontada de uma expectativa e desejo não atendidos. É simplesmente assim que Deus nos projetou: para ansiar e suspirar por algo maior do que nós mesmos. O problema, claro, é que tentamos satisfazer esses anseios com algo que está bem na nossa frente. Alguns de nós contamos com o Natal para realizar esses desejos toda vez que o calendário muda de novembro para dezembro. Mas o Natal não vai resolver isso. Nossos anseios são mais profundos do que um único dia feliz ou as semanas que o acompanham.

A razão pela qual nem mesmo a alegria da época do Natal pode nos satisfazer é que nós mesmos fomos feitos para o Deus que torna o Natal significativo. Se tentarmos viver e celebrar longe dele — e todos nós conhecemos a tentação de cair no consumismo desta época! — nenhuma quantidade de alegria natalina poderá preencher o vazio que resta. Como Agostinho nos lembrou, Deus nos criou para si mesmo e nossos corações ficam inquietos até que possam encontrar descanso nele.[3]

A boa notícia é que Deus é especialista em mudar corações, oferecendo uma nova vida ao seu povo. Ele ilumina nossas mentes com a verdade do Evangelho (2 Coríntios 4.4-6).

---

3 Agostinho, *Confissões*, 1.1.1

Não precisamos mais tentar e trabalhar para sermos aceitos por Deus de alguma forma, porque há em Cristo uma justiça que nos é creditada pela fé nele (Romanos 3.22). Ele liberta nossos corações da escravidão do pecado. Ele purifica nossos afetos desordenados e então nos motiva e nos capacita a viver na luz da verdade de sua Palavra, a descobrir que sua lei é, em Cristo, um caminho para a liberdade e a alegria, e não uma restrição.

Em outras palavras, Deus trabalha de tal maneira que começamos a amar o que ele ama. Tudo isso vem da cirurgia cardíaca divina, quando o Todo-Poderoso cumpre sua promessa: "Tirarei de vós o coração de pedra e vos darei coração de carne" (Ezequiel 36.26).

Segundo o cântico de Maria, num ato de ironia divina, enquanto Deus "encheu de bens os famintos... despediu os ricos de mãos vazias", aqueles que não têm consciência da necessidade, que são complacentes e insistem: "Eu não estou com fome", Deus os manda embora. Mas a todos os que admitem sua necessidade, que sentem sua fome, Jesus declara: "Eu sou o pão da vida; o que vem a mim jamais terá fome; e o que crê em mim jamais terá sede" (João 6.35).

O grande dia já passou. Todo aquele trabalho de preparação durante dezembro (ou, talvez, desde setembro!) chegou ao seu ápice. Em breve, as luzes das casas serão apagadas, a árvore será guardada e janeiro chegará. E tudo isso está bem, pois não vivemos para o Natal, mas para aquele que nasceu no Natal. O maravilhoso de ser seu seguidor é que o que há de mais maravilhoso no dia de Natal permanece verdadeiro todos os dias. Jesus é o seu Emanuel. Jesus é aquele que lhe dá tudo o que você precisa — aquele que cumpriu todas as promessas de Deus e preenche plenamente cada um de seus seguidores. Então, com o dia de Natal ficando para trás e um novo ano prestes a amanhecer, talvez hoje seja um dia perfeito para dizer ao seu Emanuel: "Jesus, o Senhor é o único que pode preencher meu coração. Acima de tudo — mais do que os presentes e a comida desta época, mais do que as coisas que pretendo fazer e ser no ano que vem — quero que a sua alegria venha me encher e fortalecer." Peça a Ele com fé, e Ele certamente o fará.

GUIA DE PREGAÇÃO PARA PASTORES

A fim de enriquecer a devoção de indivíduos, famílias e igrejas, o ministério Truth For Life, em parceria com o Ministério Fiel, disponibiliza gratuitamente um guia de pregação de cinco semanas que tem como objetivo ajudar o pastor ou líder a ensinar sua congregação a ver e compreender os temas, promessas e implicações do Natal em toda a Escritura. Cada semana corresponde a uma das cinco partes deste devocional *O Salvador chegou!*, e o conteúdo avança de Gênesis aos Escritos e Profetas do Antigo Testamento, aos Evangelhos, às Epístolas e, finalmente, ao Apocalipse. Embora muitas séries de sermões do Advento terminem no Natal ou antes, o tema final "Esperando um Novo Advento" e seu foco em olhar para o futuro proporcionam uma transição adequada para o novo ano.

Para obter a experiência mais rica como igreja, recomendamos que indivíduos e famílias leiam as 24 devoções diárias deste devocional *O Salvador chegou!*

Para baixar o guia, acesse o QRCode ao lado ou acesse **fiel.in/guia-advento**

Esta obra foi composta em Adobe Garamond Pro Regular 12,0, e impressa
na Promove Artes Gráficas sobre o papel Pólen Soft 70g/m²,
para Editora Fiel, em Setembro de 2025